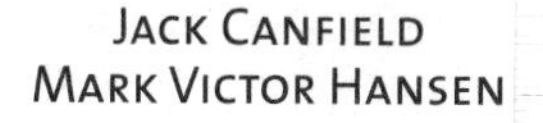

JACK CANFIELD
MARK VICTOR HANSEN

Bouillon de Poulet pour l'âme en Deuil

Des histoires à propos
de la vie, de la mort
et de la perte d'un être cher

Traduit par Marilou Brousseau

BÉLIVEAU
éditeur

L'édition originale de cet ouvrage a été publiée sous le titre
CHICKEN SOUP FOR THE GRIEVING SOUL

Health Communications, Inc., Deerfield Beach, Floride (É.-U.)
ISBN 978-1-55874-902-3

Réalisation de la couverture : Jean-François Szakacs

Dépôt légal : 1er trimestre 2014
Bibliothèque et Archives nationales du Québec
Bibliothèque et Archives Canada

ISBN 978-2-89092-648-6

BÉLIVEAU éditeur
920, rue Jean-Neveu
Longueuil (Québec) Canada J4G 2M1
514-253-0403 Téléc. : 450-679-6648

www.beliveauediteur.com
admin@beliveauediteur.com

Gouvernement du Québec – Programme de crédit d'impôt pour l'édition de livres – Gestion SODEC – www.sodec.gouv.qc.ca.

Nous reconnaissons l'aide financière du gouvernement du Canada par l'entremise du Fonds du livre du Canada pour nos activités d'édition.

IMPRIMÉ AU CANADA

Table des matières

3. S'en sortir et guérir

4. Ceux et celles qui vont nous manquer

5. Moments spéciaux

6. Leçons et perspectives

7. Revivre

Remerciements

Le chemin vers le *Bouillon de poulet pour l'âme en deuil* a été embelli grâce aux nombreuses personnes qui nous ont accompagnés tout au long du parcours. Nos sincères remerciements vont à :

Nos familles, qui ont été des *Bouillons de poulet* pour nos âmes! Inga, Travis, Riley, Christopher, Oran et Kyle pour tout leur amour et leur soutien.

Patty, Elisabeth et Melanie Hansen, pour avoir partagé avec nous et nous avoir soutenus avec amour dans la création, encore, d'un autre livre.

Notre éditeur, Peter Vegso, pour sa vision et son engagement à propager dans le monde le *Bouillon de poulet pour l'âme.*

Patty Aubery, pour avoir été là avec son amour, ses rires et son inépuisable créativité à chaque étape de ce parcours.

Heather McNamara et D'ette Corona, pour la production de notre manuscrit final avec une facilité, une finesse et un soin magnifique. Merci d'apporter une telle fraîcheur aux dernières étapes de la production.

Leslie Riskin, pour son application et sa détermination à obtenir les autorisations des auteurs et veiller à ce que tout soit parfait.

Nancy Mitchell-Autio et Barbara Lomonaco, pour nous avoir fourni des histoires et des dessins humoristiques vraiment merveilleux.

Dana Drobny et Kathy Brennan-Thompson, pour leur écoute et leur présence, avec humour et grâce, tout au long de ce projet.

Maria Nickless, pour son soutien enthousiaste à la commercialisation et aux relations publiques ainsi que son extraordinaire sens de l'organisation et de la planification.

Patty Hansen, pour son travail consciencieux et compétent à gérer les aspects juridiques et l'octroi de licences pour les livres *Chicken Soup for the Soul*. Tu relèves le défi avec brio !

Laurie Hartman, pour être la précieuse gardienne de la marque *Chicken Soup.*

Veronica Romero, Teresa Esparza, Robin Yerian, Vince Wong, Kristin Allred, Stephanie Thatcher, Jody Emme, Trudy Marschall, Michelle Adams, Carly Baird, Dena Jacobson, Tanya Jones, Mary McKay, Dee Dee Romanello, Shanna Vieyra, Lisa Williams, Gina Romanello, Brittany Shaw et Dave Coleman, qui veillent avec talent et amour aux entreprises de Jack et de Mark.

Christine Belleris, Allison Janse, Lisa Drucker et Susan Tobias, nos éditrices à Health Communications, Inc., pour leur dévouement à l'excellence.

Terry Burke, Irena Xanthos, Lori Golden, Kelly Johnson Maragni, Randee Feldman, Patricia McConnell, Kim Weiss, Paolo Fernandez-Rana et Teri Peluso des services du marketing, des ventes, de l'administration et des relations publiques de Health Communications, Inc., pour l'appui incroyable qu'ils ont apporté à nos livres.

Tom Sand, Claude Choquette et Luc Jutras, qui ont fait en sorte que, année après année, nos livres soient traduits en trente-six langues à travers le monde.

Les artisans du service graphique de Health Communications, Inc., pour leur talent, leur créativité et leur patience sans borne dans la production des couvertures et de la présentation des livres qui reproduisent l'essence de *Chicken Soup*: Larissa Hise Henoch, Lawna Patterson Oldfield, Andrea Perrine Brower, Lisa Camp, Anthony Clausi et Dawn Von Strolley Grove.

LeAnn Thieman, qui a révisé le manuscrit final, contribué aux histoires et qui a toujours été là pour nous, même à court préavis. Merci, LeAnn, pour tout ce que tu fais.

Tous les coauteurs de *Chicken Soup for the Soul,* grâce à qui c'est une joie réelle de faire partie de cette famille *Chicken Soup*: Raymond Aaron, Matthew E. Adams, Patty et Jeff Aubery, Marty Becker, John Boal, Cynthia Brian, Cindy Buck, Ron Camacho, Barbara Russell Chesser, Dan Clark, Tim Clauss, Barbara De Angelis, Don Dible, Mark et Chrissy Donnelly, Irene Dunlap, Rabbi Dov Peretz Elkins, Bud Gardner, Patty Hansen, Jennifer Read Hawthorne, Kimberly Kirberger, Carol Kline, Tom et Laura Lagana, Tommy LaSorda, Janet Matthews, Hanoch et Meladee McCarty, Heather McNamara, Katy McNamara, Paul J. Meyer, Nancy Mitchell-Autio, Arline Oberst, Marion Owen, Maida Rogerson, Martin Rutte, Amy Seeger, Marci Shimoff,

Sidney Slagter, Barry Spilchuck, Pat Stone, Carol Sturgulewski, LeAnn Thieman, Jim Tunney et Diana von Welanetz Wentworth.

Les membres de notre remarquable comité de lecture qui nous ont aidés à faire les choix définitifs d'histoires et qui nous ont fait des suggestions inestimables sur la façon d'améliorer le livre: Becky Alexander-Conrad, Marcia Alig, Sascia Andreiulli, Karen Briggs, Connie Cameron, Craig Campana, Michele Caprario, Sharon Castiglione, Helen Colella, Maureen Cummings, Christine Dahl, Gloria Dahl, Jennifer Dale, Richard Dew, Bernice Duello, Kara Dutchover, Patricia Dyson, Aaron Espy, Donald Gurleys, Ruth Hancock, Ron et Janice Haynes, Jamie Hickey, Charlene Hirschi, Betty Jackson, Janet Jensen, Melanie Johnson, Renee King, June Cerza Kolf, Kathie Koots, Tom Krause, Terry LePine, Patricia Lorenz, Paula Maes, Meladee McCarty, Chris Melcher, Angelo Militelo, Connie Moore, Polly Moore, Jim Nelson, David Norcross, Mary Panosh, Arlene Pearce, Carol McAdoo Rehme, Lark Riklef, Dayton et Helen Robinson, Crystal Brennan Ruzicka, Doris Sanford, Heidi Shinbaum, Marti Shoemaker, Bobbie Smith, Karen Snepp, Betty Stocker, Brenda Thompson, Rose Thompson, Nancy Toney, Denene Van Hecker, Susan Van Vleck, Jim Warda et Jeanie Winstrom.

Et surtout, merci à tous ceux et celles qui nous ont soumis leurs histoires et poèmes, leurs citations et leurs dessins humoristiques dans le but d'une insertion éventuelle dans ce livre. Bien qu'il nous fût impossible d'utiliser tout ce que vous nous avez envoyé, nous savons que chacun de vos mots provenait directement du fond de votre âme.

En raison de l'ampleur de ce projet, il est possible que nous ayons oublié les noms de certaines personnes y ayant contribué en cours de route. Si tel est le cas, nous en sommes désolés, mais sachez que nous vous apprécions énormément.

Nous vous sommes vraiment reconnaissants et nous vous aimons tous !

Introduction

Lorsque nous pleurons la perte de quelqu'un que nous aimons, il nous semble que personne au monde ne peut comprendre ce que nous traversons – la douleur, le tourment, la perte accablante. *Bouillon de poulet pour l'âme en deuil* est notre cadeau pour les gens qui ont le cœur brisé. En publiant les livres *Bouillon de poulet*, quelques-unes de nos plus grandes récompenses sont les lettres que nous recevons de nos lecteurs, nous disant comment nos histoires ont eu un impact dans leur vie. Des milliers de personnes ont littéralement rapporté avoir trouvé réconfort et guérison dans leurs moments les plus difficiles. C'est en réponse à ces cœurs et à leurs demandes qu'a été conçu *Bouillon de poulet pour l'âme en deuil.*

Un miracle se produit lorsque les gens écrivent courageusement leurs histoires à être partagées avec le monde. Au cours du processus de rédaction, ils sont reliés de nouveau à celui ou celle qu'ils ont perdu. À la lecture de leurs histoires, d'autres se relient à eux. Et dans ce lien, chacun se sent moins seul. Chacun gagne un peu plus de force pour vivre sa vie et retrouver son chemin à travers les défis et les obstacles de ce voyage appelé «le deuil».

Nous offrons ce recueil d'histoires véridiques un peu comme un «groupe de soutien», c'est-à-dire un lieu où ceux qui souffrent d'une perte peuvent trouver un réconfort en lisant comment d'autres personnes, dans des situations similaires ou complètement différentes, ont surmonté leur deuil. Ces histoires sont si puissantes, si poignantes, que vous pourriez bien vouloir en lire une seule à la fois et, ensuite, prendre le temps d'absorber son message. Vous allez découvrir que dans chaque histoire se tisse le fil d'espérance. Espérance pour demain. Espérance de guérison. Espérance pour embrasser la vie une fois de plus et aller de l'avant.

Nous vous prions d'accepter ce cadeau de notre part et sachez que nous sommes avec vous en esprit durant ce passage de vie douloureux, mais également puissant.

NOTE DE L'ÉDITEUR :

Compte tenu de notre désir de nous assurer que ce recueil contienne les histoires les plus réconfortantes possibles, nous avons choisi d'en inclure quelques-unes tirées de précédents volumes de Bouillon de poulet pour l'âme.

1

DERNIERS CADEAUX

Les meilleures et les plus belles choses
au monde ne peuvent être vues
ni même touchées. Elles doivent
être ressenties avec le cœur.

Helen Keller

Un cadeau éternel

Lorsqu'une porte se ferme... cherchez une fenêtre ouverte..., mais cela pourrait prendre un certain temps avant de ressentir la brise.

Anonyme

En émergeant du choc, après la mort de mon mari, Ken, j'ai découvert que des choses étranges se passaient autour de moi. Chaque matin, je découvrais les portes déverrouillées, la télévision beuglant et les gicleurs arrosant. Quelque chose bouleversait ma vie et je me sentais complètement vulnérable et sans protection.

Autrefois, j'étais une femme indépendante et forte mentalement – des qualités pratiques pour une jeune femme de marin vivant dans des lieux inconnus et élevant seule quatre enfants.

Le bateau de mon mari naviguait souvent à l'autre bout du monde, dans des eaux hostiles vers des destinations secrètes. La possibilité qu'il puisse ne pas revenir n'était jamais très loin dans mon esprit. Après toutes ces expériences à vivre séparés l'un de l'autre durant les premières années de notre mariage, je me demandais maintenant si j'avais ce qu'il fallait pour vivre seule.

Les paroles d'une amie m'ont aidée à comprendre mes sentiments. «Tu as perdu quelqu'un que tu aimes et rien ne t'a préparée à ce qui allait suivre. Tu réagis à une douleur intense en te refermant et en gagnant du temps pour guérir. Tu fonctionnes encore, mais sur le pilote automatique maintenant. Et n'oublie pas, personne n'accomplit les corvées de ton mari. »

Avec efficacité, Ken avait pris soin de rendre ma vie sécuritaire en fixant, renouvelant et remplaçant tranquillement tout ce qui avait besoin de l'être. Dans mon état d'esprit actuel, si je me rappelais d'allumer quoi que ce soit, j'avais l'habitude d'oublier de le débrancher, tenant pour acquis que ce qui devait fonctionner, gicler ou arrêter le ferait par lui-même.

Alors que parents et amis retournaient graduellement à leurs propres routines, je suis restée à la maison à regarder dans le vide et à me retirer de la vie. Il était évident que j'avais besoin d'aide, mais il était plus facile de ne rien faire, de vivre dans le passé et de m'apitoyer sur moi-même.

Aller de l'avant était difficile et je me cherchais mille et une excuses pour ne pas essayer. Jour après jour, je priais pour obtenir des conseils. Finalement, un dimanche, deux mois environ après la mort de Ken, le bulletin paroissial annonça le début d'un nouvel atelier pour surmonter le deuil. Une affirmation attira mon attention: «La douleur est réelle, puissante et a un impact dévastateur sur notre capacité de fonctionner.» La classe débutait dans deux jours. *Cela doit être une réponse à ma prière*, ai-je pensé. Alors, j'ai suivi les instructions de Dieu et je me suis inscrite à cet atelier. C'était bon de me retrouver entre ses mains !

Ma confiance a cependant vacillé en me rendant à la première rencontre. C'était plus difficile que j'aurais jamais pu imaginer. J'avais l'impression de porter un écriteau sur lequel on pouvait lire: «Sans conjoint! Toute seule! Abandonnée!»

Lors de cette première soirée, les sept membres de mon groupe se sont identifiés par leur perte tragique respective, tout en créant un lien entre nous par des conseils provenant du cœur, avec la main de l'amitié et une oreille compréhensive. Me joindre à ce groupe a été la première étape entreprise pour m'aider, une étape qui éventuellement me permettrait de me sentir mieux, plus forte et moins vulnérable.

Notre devoir à la maison? Faire quelque chose d'agréable juste pour soi. Je me suis permis une folle dépense, des draps aux tons prune, transformant ainsi «notre» chambre en «ma» chambre, avec un décor féminin joyeux. Et, parce que je n'en avais jamais possédé auparavant, je me suis acheté une casquette de baseball de designer bleu marine. En essayant la casquette, j'ai jeté un coup d'œil dans le miroir et j'ai souri. Être bonne envers moi-même pourrait facilement devenir une habitude.

Les animateurs nous ont mis en garde de laisser séjourner dans notre vie les rappels douloureux de la personne décédée. La culpabilité peut nous amener à faire de notre maison un sanctuaire à sa mémoire. J'ai appelé le mien «le sanctuaire inclinable». Des dessins des petits-enfants, un vieux journal et une tasse avec l'inscription *La tasse de papa* sont restés là où il les avait laissés, sur une petite table à côté du fauteuil inclinable.

Le fauteuil vide était un rappel constant de son départ. Mes enfants cherchaient leur père à sa place préférée chaque fois qu'ils entraient dans la pièce. C'était vraiment trop douloureux, alors ils ont décidé d'agir. Ils ont réaménagé la maison. Encore paralysée par sa mort et trop hébétée pour bouger, je suis restée assise dans la chaise berçante et je les ai regardés travailler. Les canapés, les chaises, les tables basses, les lampes et les peintures se sont tous retrouvés dans un nouvel endroit ou dans une autre pièce. J'ai adoré le nouveau look. Le fauteuil inclinable, caché sous une housse fleurie, a été relocalisé dans un coin discret de la maison, encore avec nous, mais il n'était plus un rappel flagrant.

Les animateurs du groupe de deuil m'ont appris comment faire face au caractère définitif de la mort de mon époux. J'ai réalisé que je ne devais pas m'enliser dans le deuil ni chercher à retourner à mon ancienne vie, car elle n'existait plus. Le fait d'admettre que c'était correct pour moi de survivre à cette épreuve représentait une grande part de ma guérison.

De plus, les animateurs nous prévenaient chaque semaine de «prendre soin de nous». Depuis que mon mari n'était plus là pour rendre mon monde sécuritaire, je l'ai fait moi-même en utilisant un système en douze points pour protéger ma maison: (1) verrouiller la porte; (2) fermer les fenêtres; (3) éteindre la télévision, *etc*. Si je me mettais au lit sans m'être rendue au chiffre douze, je savais que j'avais oublié une pièce et que je devais recommencer à zéro.

Ce comptage m'a apporté la sécurité et la paix de l'esprit.

Je me suis décidée à simplifier et à réorganiser ma vie. Étant facilement distraite et exaspérément étourdie, je me suis procuré un planificateur mensuel que je laissais bien en vue sur le comptoir de la cuisine. Je faisais une liste des choses à faire et à acheter, ainsi que des endroits où je devais aller: appeler le plombier, laver la voiture, acheter du lait et du pain, être à 16 heures chez le vétérinaire (n'oublie pas le chien). Ce rappel visuel diminuait le stress de devoir me rappeler de tout.

Un an après la mort de mon mari, j'ai rempli un panier avec des fraises, des poires, des raisins, des prunes et d'autres fruits colorés. Ensuite, j'y ai attaché une note d'appréciation et j'ai livré le tout au personnel des soins intensifs de l'hôpital. J'étais trop accablée avant pour remercier ces gens de leurs soins si attentionnés, autant pour le patient que pour la famille.

Ma fille m'a demandé: «Tu n'ériges pas un autre genre de sanctuaire, n'est-ce pas ?»

«Non, je te le promets. Ces cadeaux sont pour nourrir les vivants afin qu'ils puissent aider d'autres personnes dans le besoin.»

Plus tard, cette journée-là, alors que je vidais le tiroir du bureau de mon mari, j'ai trouvé un morceau de papier arraché d'un cahier de croquis d'artiste. La note inattendue n'était pas datée, mais j'ai reconnu immédiatement l'écriture de Ken. «Chère épouse et chers enfants, j'ai oublié de vous dire à quel point je vous aime – je vous aime !» Des larmes de reconnaissance ont rempli mes yeux.

Ken disait toujours que les choses se produisent pour une raison. Ce cadeau, qui est arrivé le jour même de l'anniversaire de son décès, était vraiment exceptionnel. Il m'a rappelé que j'étais profondément aimée, que je l'aimais en retour et que notre amour était devenu à jamais une partie de nous – même lorsque l'un nous quitte et que l'autre se dirige seul vers une nouvelle vie. Éventuellement, la douleur de la séparation diminue, mais l'amour demeure pour toujours – tel un cadeau éternel.

Gloria Givens

THE FAMILY CIRCUS®, par Bil Keane

Quand le mari d'une dame meurt,
pourquoi doit-elle être une veuve ?

Une rose pour ma mère

Avec la résurrection du jardin chaque année,
la vie après la mort n'est pas si étrangère.

Agnes Ryan

Parfois, quand la tristesse est profonde et que le baume de la guérison se diffuse trop lentement, un cœur en deuil cherchera consolation dans quelque chose de plus tangible. Lorsque j'ai perdu ma mère, le réconfort que je cherchais a dépendu de la survie d'une seule rose. Rien n'aurait pu me préparer à la réponse que j'ai reçue.

Mon mari et moi sommes des producteurs passionnés de roses. Lorsque nous nous sommes joints à une société locale de roses, nous avons participé à des compétitions de roses au cours desquelles des centaines de fleurs de toutes les couleurs et de toutes les variétés sont jugées pour des trophées. Faire pousser des roses pour les présenter à des expositions demande beaucoup de temps et d'énergie, mais notre jardin était notre paradis où nous avions plaisir à nous retirer dans un monde de soleil et de beauté.

Ma mère aimait aussi notre jardin et chaque fois qu'elle venait à la maison, elle y disparaissait rapidement. Je l'ai souvent taquinée, lui disant qu'elle préférait davantage être avec les roses qu'avec nous. Elle souffrait d'une insuffisance rénale évolutive et le jardin était le lieu où elle allait récupérer après ses traitements de dialyse épuisants. Lorsqu'elle se sentait suffisamment forte, elle se promenait à travers les sentiers, inspectant les lieux et se taillant un chemin autour des buissons. Elle se faisait une mission personnelle de remplir la maison de magnifiques bouquets. Finalement, quand elle est devenue trop malade pour circuler dans le jardin, elle se contentait de s'asseoir à l'ombre, entourée des fleurs et des oiseaux. À la fin de l'été, elle était devenue très fragile. J'avais le cœur gros, car je savais qu'il s'agissait de son dernier été dans le jardin.

Une complication imprévue l'a entraînée dans le coma et elle est décédée subitement deux jours avant Noël. Après les funérailles, je suis allée dans le jardin, espérant trouver un réconfort dans ce lieu qu'elle avait tant aimé. Je recherchais la présence de son esprit parmi les roses, mais le jardin était dans sa période de repos et la nudité des plants correspondait au vide que je ressentais dans mon cœur.

Le lendemain, des amis de l'église nous ont apporté un nouveau rosier en sa mémoire. Ils avaient choisi une *Délicieuse Lisette*, une superbe rose à cinq pétales, couleur rose bonbon, avec des étamines rouge foncé exhalant une odeur douce et sucrée. Ce serait un magnifique souvenir de ma mère. Nous avons planté le rosier près de l'endroit où elle avait passé tant d'heures paisibles. Ce rosier buisson est devenu pour moi un symbole de son esprit toujours vivant. J'ai passé les mois d'hiver à dorloter le petit plant, l'exhortant à survivre et à croître vigoureusement.

Les pluies froides ont finalement cessé et un printemps précoce a transformé notre jardin en une profusion de couleurs odorantes. Ma mère aurait adoré cette métamorphose et cela me manquait de ne pouvoir partager sa joie et son enthousiasme pour le jardin.

Le rosier *Délicieuse Lisette* était florissant, couvert de feuilles vertes brillantes et, à notre grande surprise, il possédait cinq boutons sur une longue tige. Lorsque la première fleur délicate s'est ouverte, mon moral a remonté en flèche pour la première fois depuis des mois.

Nous étions à cinq jours de notre première exposition de roses et ma seule détermination était d'exposer une *Délicieuse Lisette* en souvenir de la vie de ma mère, certaine que cela mettrait enfin un terme à mon deuil. Une température exceptionnellement chaude a rapidement fait éclore trois des cinq boutons. J'ai alors coupé les deux derniers et je les ai placés dans le réfrigérateur pour ralentir le processus d'éclosion. Le jour précédant l'exposition, j'ai tenté de les forcer à éclore en les mettant dans l'eau tiède. Le premier bouton a tout simplement refusé de s'ouvrir et a courbé la tête, mais l'autre était parfait. Je les ai remis dans le réfrigérateur et j'ai prié pour qu'ils survivent. Plus tard, ce jour-là, la peur persistante de perdre la rose m'a entraînée dans le jardin, espérant trouver une autre *Délicieuse Lisette* cachée parmi les feuilles, mais il n'y avait aucun signe de boutons nulle part.

Le matin suivant, j'ai ouvert la porte du réfrigérateur pour trouver une tige nue dans le vase et cinq pétales roses sur l'étagère. J'ai éclaté en sanglots. Perdre la rose a ramené à la surface tous les souvenirs liés à la perte de ma mère. Mon mari m'a serrée tendrement dans ses bras et m'a dit d'un ton apaisant: «Nous présenterons une *Délicieuse Lisette* lors de la prochaine exposition.» Mais je pouvais entendre la déception dans sa voix.

Avant de quitter pour l'exposition, nous sommes allés dans le jardin, le cœur lourd, pour examiner les autres rosiers dans l'espoir d'une éclosion de dernière minute. Jetant à peine un regard à la *Délicieuse Lisette* en sortant, une petite tache de couleur a attiré mon attention. Alerté par mon cri de surprise, Rich s'est précipité vers moi pour s'enquérir de ce qui n'allait pas et, ensemble, nous avons regardé, incrédules, une longue tige, unique, portant un bouton bien fermé au centre de l'arbuste. La foi m'a appris à croire aux miracles, mais cela dépassait ma compréhension. Presque craintive d'y toucher, j'ai finalement coupé la tige. Dans un silence stupéfait, nous avons roulé jusqu'au lieu de l'exposition.

Lorsque nous sommes arrivés à la salle d'exposition, le bouton avait à peine commencé à se déployer. J'ai poli les feuilles, placé mes mains en coupe au-dessus du bouton et je lui ai envoyé plusieurs bouffées de mon souffle chaud pour l'encourager à s'ouvrir. Je savais que la rose pouvait être disqualifiée si les pétales n'étaient pas complètement ouverts au moment de l'évaluation.

Après avoir fait tout ce que je pouvais, j'ai reculé et j'ai regardé la petite rose. Sa beauté était à couper le souffle. Ses pétales, à moitié ouverts, s'élevant vers le ciel, me rappelaient que j'avais été bénie par un acte de compassion extraordinaire. Puis, j'ai réalisé que mon esprit compétitif m'avait momentanément aveuglée sur la raison principale de présenter cette rose – ce n'était pas pour le prix ou pour l'obtention d'une gloire, mais bien pour honorer la vie de ma mère. La rose était parfaite comme elle était et l'opinion du jury n'était plus pertinente. Avec un cœur rempli de gratitude et un sentiment de respect, j'ai placé la rose sur la table d'exposition et je me suis retirée, enfin libre de l'emprise du chagrin.

Lorsque les juges eurent terminé leur évaluation, nous nous sommes précipités pour récupérer notre unique rose. Elle avait disparu de la table! Voyant notre confusion, un ami s'est approché et nous a demandé si nous avions regardé sur la table des trophées. Elle était là – parfaitement ouverte, entourée d'un ruban bleu, à côté d'un grand trophée argent sur lequel était inscrit: «La plus belle rose monopétale de l'exposition». C'était un hommage magnifique et imprévu à ma mère.

Après quelques jours, j'ai pressé la rose dans l'espoir de la garder à tout jamais, telle une preuve que les miracles se produisent. Mais une semaine plus tard, lorsque j'ai vérifié son état, elle s'était désintégrée en une fine poudre qui, lorsque j'ai retiré le papier autour d'elle, s'est envolée dans les airs. La rose était venue dans ma vie pour consoler mon cœur douloureux, et quand son travail a été accompli, elle s'est volatilisée aussi mystérieusement qu'elle était apparue.

Maria E. Sears

Le dernier rire de maman

Quelques membres orthodoxes
de la famille Thoreau lui demandèrent
s'il avait fait la paix avec Dieu.
Seul Thoreau pouvait répondre comme
il l'a fait, c'est-à-dire qu'il ne savait pas
que lui et Dieu avaient déjà eu un conflit.

Source inconnue

Abattue par ma perte, je n'avais pas remarqué la dureté du banc sur lequel j'étais assise. J'assistais aux funérailles de ma plus chère amie, ma mère. Elle avait finalement perdu sa longue bataille contre le cancer. La douleur était si intense que, parfois, j'avais de la difficulté à respirer.

Toujours d'un grand soutien, c'était ma mère qui applaudissait le plus fort durant les spectacles à l'école, qui m'a tendu une boîte de papier mouchoirs en écoutant mon premier chagrin d'amour, qui m'a réconfortée à la mort de mon père, qui m'a encouragée à l'université, et qui a prié pour moi durant toute sa vie.

Lorsque ma mère a reçu le diagnostic de cancer, ma sœur prenait soin d'un nouveau bébé et mon frère s'était récemment marié. À vingt-sept ans, étant l'enfant du milieu dans la famille et n'ayant pas de responsabilités, c'était à moi, il me semblait, de prendre soin d'elle. J'ai considéré cela comme un honneur.

Assise dans l'église, j'ai demandé: «Qu'est-ce que je vais faire maintenant, Seigneur?» Ma vie s'ouvrait devant moi tel un abîme.

Mon frère était assis, stoïque, le visage tourné vers la croix pendant qu'il serrait très fort la main de sa femme. Ma sœur, quant à elle, était effondrée, appuyée contre l'épaule de son mari qui l'entourait de ses bras pendant qu'elle berçait leur enfant. Ils étaient tous trop profondément dans leur chagrin pour remarquer que j'étais assise seule.

Ma place avait été auprès de ma mère, à préparer ses repas, à l'aider à marcher, à l'emmener chez son médecin, à voir à sa médication et à lire la Bible avec elle. Maintenant, elle se trouvait avec le Seigneur.

Mon travail était terminé, et j'étais seule.

J'ai entendu une porte s'ouvrir et se refermer brusquement à l'arrière de l'église. Des pas rapides se sont hâtés le long de l'allée. Un jeune homme exaspéré a regardé briève-ment autour de lui, puis est venu s'asseoir à mes côtés. Il a joint ses mains et les a posées sur ses genoux. Des larmes mouillaient ses yeux et il s'est mis à renifler.

Même si aucune explication n'était nécessaire, il m'a dit: «Je suis en retard.»

Après plusieurs éloges funèbres, il s'est penché vers moi et m'a demandé: «Pourquoi persistent-ils à appeler Mary par le nom de Margaret?»

«Parce que son nom est Margaret. Pas Mary. Personne ne l'a jamais appelée Mary», lui ai-je chuchoté. Je me suis demandé pourquoi cet homme ne s’était pas assis de l’autre côté de l’allée dans l’église. Il interrompait mon recueillement avec ses larmes et ses gigotements. Qui était cet étranger, de toute façon?

«Non, ça ne va pas», insista-t-il, alors que plusieurs personnes jetaient un regard vers nous. Il a murmuré: «Son nom est Mary, Mary Peters.»

«Il ne s’agit pas de cette personne.»

«N’est-ce pas l’église luthérienne?»

«Non, l’église luthérienne est de l’autre côté de la rue.»

«Oh!»

«Je crois que vous assistez aux mauvaises funérailles, monsieur.»

La solennité de la cérémonie, ajouté au fait que cet homme a réalisé son erreur m’ont fait éclater de rire. J’ai placé mes mains devant mon visage, espérant que mes rires seraient interprétés comme des sanglots.

Les craquements du banc m’ont trahie. Les regards perçants des proches de la défunte n’ont fait que rendre la situation encore plus hilarante. J’ai jeté un coup d’œil à l’homme perplexe et égaré assis à mes côtés. Il riait aussi, tout en regardant autour de lui, décidant sans doute qu’il était trop tard pour une sortie sans incident. J’ai imaginé ma mère s’amusant de cette situation.

Au moment du *Amen* final, nous nous sommes élancés vers la porte et dans le stationnement.

«Je pense que nous allons faire parler de nous dans la ville», lança-t-il en souriant. Il m'a appris que son nom était Rick et, puisqu'il avait raté les funérailles de sa tante, il m'a demandé d'aller prendre un café avec lui.

Cet après-midi a été le début de l'aventure d'une vie avec cet homme qui a assisté aux mauvaises funérailles, mais qui était au bon endroit. Une année après notre rencontre, nous nous sommes mariés dans une église de campagne où il était assistant pasteur. Cette fois-ci, nous nous sommes rendus à la bonne église, et juste à la bonne heure.

Durant ma période de chagrin, Dieu m'a donné le rire. À la place de la solitude, Dieu m'a donné l'amour. Au mois de juin dernier, nous avons célébré notre vingt-troisième anniversaire de mariage.

Chaque fois que quelqu'un nous demande comment nous nous sommes rencontrés, Rick leur dit: «Sa mère et ma tante Mary nous ont présentés l'un à l'autre.»

Robin Lee Shope

Je vais bien, maman et papa

Peut-être que ce ne sont pas des étoiles,
mais plutôt des ouvertures au Ciel desquelles
l'amour de nos êtres disparus se verse
et brille sur nous pour nous faire
savoir qu'ils sont heureux.

Inspiré d'une légende inuit

En rentrant à la maison, après les funérailles d'un membre de l'église, ma grande fille, Jenny, m'a demandé comment s'était déroulée la cérémonie. Ayant été très touchée par l'histoire du prêtre à propos d'une libellule, j'ai décidé de la raconter à Jenny.

Un jour, un groupe de punaises d'eau discutaient entre elles, ayant vu comment d'autres punaises avaient grimpé sur une feuille de nénuphar pour ensuite disparaître. Elles se demandaient où les autres avaient bien pu aller. Les punaises d'eau se sont fait la promesse que si jamais l'une d'elles montait sur la feuille de nénuphar et disparaissait, elle devrait revenir et révéler aux autres où elle était partie.

Environ une semaine plus tard, une des punaises a grimpé sur la feuille de nénuphar et a émergé de l'autre côté. Alors qu'elle se reposait là, elle s'est transformée en une libellule. Son corps a pris un lustre irisé et quatre magnifiques ailes ont poussé sur son dos. Puis, la libellule a battu des ailes et s'est envolée en faisant des boucles et des pirouettes dans le ciel ensoleillé. Au milieu de son vol joyeux, elle s'est rappelé la promesse de revenir et de révéler aux autres le lieu où elle avait séjourné. La libellule a alors piqué vers la surface de l'eau et a tenté par tous les moyens de retourner dans l'eau, mais en vain.

La libellule s'est dit en elle-même: *Bon! J'ai essayé de tenir ma promesse, mais même si je parvenais à retourner, les autres punaises ne me reconnaîtraient pas dans mon nouveau corps glorieux. J'imagine qu'elles auront tout simplement à attendre de grimper sur la feuille de nénuphar pour découvrir elles-mêmes où je suis allée et ce que je suis devenue.*

Après avoir complété mon histoire, ma fille a déclaré, les larmes coulant sur ses joues: «Maman, c'est vraiment magnifique!» J'étais bien d'accord avec elle, et nous en avons discuté pendant un moment.

Deux jours plus tard, tôt un dimanche matin, le 9 juillet 1995, Jenny est entrée dans ma chambre et m'a réveillée pour me dire au revoir avant de quitter pour son travail dans un lieu de vacances au lac Okoboji. Je l'ai serrée dans mes bras et je l'ai embrassée en lui disant que je la verrais le soir même, lorsque j'irais la rejoindre pour une semaine de vacances au lac. Je lui ai demandé si elle avait pris son petit-déjeuner et si elle était complètement réveillée, puisque nous étions sorties tard la veille. Je savais qu'elle était fatiguée.

«Oui, maman! Je te verrai plus tard!»

Notre pire cauchemar a commencé quelques heures après. Jenny avait été impliquée dans une collision frontale et avait été envoyée par avion à Sioux Falls dans le Dakota du Sud.

Les pensées se sont bousculées en moi: *Pourquoi ne lui ai-je pas préparé un petit-déjeuner? Lui ai-je dit que je l'aime? Si je l'avais retenue un peu plus longtemps auprès de moi, les choses se seraient-elles passées différemment? Pourquoi ne l'ai-je pas serrée dans mes bras plus longtemps? Pourquoi ne l'ai-je pas gardée avec moi cet été plutôt que de la laisser travailler au lac? Pourquoi? Pourquoi? Pourquoi?*

Nous nous sommes envolés à Sioux Falls et sommes arrivés à midi. Notre Jenny avait été frappée mortellement et elle a rendu l'âme à 22 heures ce soir-là. Si Dieu m'avait donné le choix, en une seconde j'aurais échangé nos places. Jenny avait tellement à offrir à ce monde. Elle était si brillante, belle et affectueuse.

Le vendredi de cette semaine-là, mon mari et moi nous sommes rendus jusqu'au lac en voiture pour voir des membres de la famille et nous nous sommes arrêtés sur les lieux de l'accident. Je ne me souviens pas de grand-chose, sinon à quel point j'étais hystérique à essayer de comprendre ce qui s'était passé et pourquoi.

En quittant la scène de l'accident, j'ai demandé à mon mari de m'emmener dans une serre, car j'avais besoin d'être entourée de belles fleurs. Je ne pouvais tout simplement pas faire face à qui que ce soit.

En marchant vers le fond de la serre, j'ai entendu un battement d'ailes comme si un colibri frappait le haut du toit. Je regardais une rose magnifique lorsqu'une belle et grande libellule s'est posée à un mètre de moi. Je suis restée là à contempler la magnifique créature et j'ai pleuré. Mon mari est venu me rejoindre. Je l'ai regardé et lui ai dit: «Jenny nous dit qu'elle va bien.» Nous sommes restés là à regarder longuement la libellule et, lorsque nous avons marché vers la sortie, la libellule est restée posée sur la rose.

Quelques semaines plus tard, mon mari est entré en courant dans la maison pour me dire de sortir dehors rapidement. En franchissant le seuil de la porte, je ne pouvais pas croire ce que je voyais. Des centaines de libellules volaient devant notre maison et entre la nôtre et celle du voisin. Je n'avais jamais vu autant de libellules à la fois dans cette ville et ce qui était encore plus étrange, c'est qu'elles volaient seulement autour de notre maison.

Il est impossible que ces deux expériences soient seulement des coïncidences. Elles étaient plus que cela. Elles étaient des messages de Jenny.

Chaque fois que je vois une libellule, de merveilleux souvenirs de ma fille embrassent mon cœur en deuil.

Lark Whittemore Ricklefs

C'était le destin

Il y a quelques années, nous avions un chiot labrador du nom de Blue que nous aimions énormément. Mais puisque tout le monde dans la famille passait beaucoup de temps au travail ou à l'école, il devint bientôt évident que Blue ne recevait ni l'attention ni l'entraînement dont elle avait besoin. Ce fut un choix difficile, mais nous avons décidé de lui trouver une meilleure famille que celle que nous pouvions lui offrir à ce moment-là.

Je me suis informée auprès de mon entourage, à l'église et au travail, afin de dénicher un foyer spécial pour Blue. Une collègue m'a dit que le vieux chien d'un de ses amis était mort dernièrement. La famille cherchait un chiot. Je connaissais la famille : le mari s'appelait Frank et sa femme, Donna. Tous les deux enseignaient la technique Lamaze et travaillaient dans un hôpital de la région. Leurs enfants adorent les chiens, m'a raconté mon amie, et leur vieux chien leur manque terriblement. Cette famille semblait donc être l'idéal.

J'ai parlé à Donna au téléphone et elle a été ravie de prendre Blue. J'ai fait des arrangements pour que mon mari leur livre le chiot le lendemain, soit le vendredi. Frank a donné son adresse à mon mari : 412, rue Adams, en lui mentionnant qu'il travaillerait toute la journée sur la maison et de chercher des échelles sur le terrain avant.

Le matin suivant, mon mari a déposé Blue dans la voiture pour le départ. Nos tristes au revoir ont été allégés par la certitude qu'il nous quittait pour vivre dans une merveilleuse famille.

Donna et Frank demeuraient à une heure de route de chez nous, à l'extrémité de la grande ville la plus proche. Mon mari a trouvé la maison; le numéro 412 était bien indiqué et il y avait une échelle sur le terrain avant. Mon mari a pris le chiot dans ses bras, s'est rendu à la maison et a frappé à la porte. Aucune réponse. Après avoir attendu un moment, il a cogné de nouveau.

Un homme, dans la cour voisine, lui a demandé: «Qui cherchez-vous?»

Mon mari a répondu: «Frank.»

«Oh! Frank est parti à l'hôpital et je ne sais pas quand il reviendra.»

Mon mari était ennuyé. Frank lui avait bien dit qu'il serait à la maison toute cette journée-là. Peut-être avait-il dû conduire Donna à l'hôpital. Mais mon mari ne pouvait attendre son retour. Il avait pris des rendez-vous pour le reste de la journée et devait reprendre la route. La contrariété devait se voir sur son visage, car l'homme dans la cour lui demanda: «Quel est le problème, jeune homme?»

Mon mari lui expliqua sa situation et le voisin offrit de garder le chiot dans sa maison jusqu'au retour de Frank. Le voisin ajouta qu'il avait un jardin clôturé et qu'il n'y aurait aucun problème. C'était un gentil monsieur qui possédait des chiens et mon mari décida qu'il en serait ainsi. Il a remis le chiot au voisin et est parti pour ses rendez-vous.

Le lundi suivant, quand je suis retournée au travail, ma collègue m'a demandé: «As-tu finalement changé d'idée à propos de donner Blue?»

Surprise, j'ai répondu: «Non. Pourquoi?»

«Eh bien, Donna m'a dit que vous n'avez jamais livré le chiot vendredi. Ils ont pensé que vous aviez changé d'avis quand le moment est venu de lui dire vraiment au revoir.»

Je lui ai répondu que nous *avions* certainement livré Blue. J'ai appelé Donna pour lui mentionner que le voisin devait prendre soin de Blue en attendant le retour de Frank.

«Mais Frank était à la maison toute la journée! insista-t-elle. Et aucun de nos voisins ne s'est présenté chez nous.»

Mais que se passait-il donc? Nous en avons finalement conclu que mon mari avait effectué un mauvais virage et qu'il s'était rendu au 412 de la rue suivante. Dernièrement, il y avait eu une tempête et plusieurs personnes avaient sorti leurs échelles pour réparer leur toiture et leurs gouttières. Était-il possible que l'homme dans cette maison s'appelait également Frank?

Mon mari et moi sommes montés dans la voiture pour aller vérifier ce qui était advenu de Blue. Nous avons tout de suite réalisé qu'il s'était rendu une rue trop loin. Nous sommes donc allés frapper à la porte de la maison où il avait laissé Blue.

Un homme dans la soixantaine, au visage rouge, nous a ouvert la porte. Quand nous lui avons dit que nous cherchions le chiot qui avait été livré chez lui la semaine précédente, l'homme a répondu:

«Vous voulez dire celui que Frank a commandé?»

Réalisant alors que l'homme vivant au numéro civique 412 de cette rue se prénommait également Frank, nous lui avons expliqué la confusion. Le visage de l'homme s'est assombri.

«Qu'est-ce qui ne va pas? lui ai-je demandé. Est-ce que le chiot est correct?»

«Oh, le chiot va bien. En fait, je suis certain que le chiot va même très bien. Mais… en fait, j'espère que vous ne voulez pas le reprendre», ajouta-t-il sérieusement.

Voyant le questionnement dans nos yeux, il poursuivit.

«Lorsque vous êtes venu avec le chiot vendredi, mon voisin Frank était à l'hôpital. Il travaillait dans la cour lorsque des douleurs dans sa poitrine se sont manifestées. Sa femme l'a alors emmené à l'hôpital. Frank n'est jamais revenu à la maison. Il est mort d'un infarctus foudroyant vendredi après-midi. Ce fut un choc terrible pour la famille et j'ai décidé de ne pas les déranger avant que la poussière ne retombe un peu. Hier, j'ai pris le chiot et je suis allé frapper à leur porte. L'aînée de Frank m'a ouvert. Je lui ai expliqué que son père avait commandé un chiot et, comme il n'était pas à la maison, j'avais accepté la livraison pour lui. Je leur ai dit que je ne savais pas trop quoi faire avec le petit chien, car la situation avait changé pour eux.

«La fille de Frank ne pouvait tout simplement pas y croire. Elle m'a dit: *Papa a commandé un chiot? Ça, c'est le chien de papa?* Elle a tendu les bras et je lui ai donné le chiot. Elle l'a serré très fort, a collé son visage dans sa fourrure, puis elle s'est mise à pleurer.

«Je ne savais pas trop quoi lui dire au juste, alors je suis resté planté devant elle. Après un moment, elle m'a regardé et remercié. *Vous ne savez pas ce que ça représente pour moi. Je suis tellement heureuse d'avoir le chien de papa*, m'a-t-elle dit. Le chiot se tortillait, essayant d'embrasser la fille de Frank de toutes les manières possibles. Le visage de la fillette était tout simplement illuminé d'amour.»

Stupéfiée par cette histoire, je me suis tournée vers mon mari et lui ai dit: «On ne peut plus reprendre Blue maintenant.»

L'homme approuva en hochant la tête. «Madame et monsieur, certaines choses sont simplement ce qu'on appelle le destin. Je dirais que ce chiot est exactement au bon endroit.»

Cindy Midgette

Un cadeau surprise pour maman

La mort est la fin d'une vie,
pas la fin d'une relation.

Mitch Albom

Le jour de Noël, toute la joie d'une famille étroitement liée irradiait dans la maison de nos parents. L'odeur de la dinde rôtie, du jambon cuit à la mode du Sud et du pain fait maison flottait dans l'air. Les tables et les chaises étaient disposées un peu partout pour accommoder les tout-petits, les adolescents, les parents et les grands-parents. Chaque pièce était décorée somptueusement. Aucun membre de la famille n'avait jamais manqué le jour de Noël avec nos parents.

Cette année, par contre, les choses étaient différentes. Notre père était décédé le 26 novembre et c'était notre premier Noël sans lui. Maman faisait son possible pour être une hôtesse courtoise, mais je voyais bien que c'était particulièrement difficile pour elle. J'ai senti un serrement dans ma gorge et, encore une fois, je me suis demandé si je devais lui donner le cadeau de Noël que j'avais prévu ou s'il était devenu inapproprié en l'absence de mon père.

Quelques mois plus tôt, je mettais la dernière touche aux portraits que j'avais peints de chacun de mes parents. J'avais prévu leur offrir cela comme cadeaux de Noël. Ce serait une surprise pour tout le monde, puisque je n'avais jamais étudié en art ou même essayé de peindre sérieusement! Pourtant, j'avais ressenti un besoin indéniable qui m'avait poussée sans relâche à peindre. Certes, leurs portraits étaient ressemblants, mais je restais incertaine quant à mes talent de peintre.

Un jour, alors que je peignais, j'ai été surprise par le tintement de la sonnette d'entrée. J'ai caché rapidement tout mon matériel de peinture et j'ai ouvert la porte. À mon grand étonnement, mon père était là, seul, lui qui ne m'avait jamais visitée sans ma mère. Souriant, il m'a dit: «Nos entretiens du matin me manquent. Tu sais, ceux que nous avions avant que tu décides de me quitter pour un autre homme!» Je n'étais pas mariée depuis longtemps. De plus, j'étais également la seule fille et le bébé de la famille.

Tout de suite, j'ai voulu lui montrer les peintures, mais j'étais réticente à ruiner sa surprise de Noël. Pourtant, quelque chose me poussait à partager ce moment avec lui. Après lui avoir fait jurer de garder le secret, j'ai insisté pour qu'il garde les yeux fermés jusqu'à ce que j'aie installé les portraits sur les chevalets.

«Voilà, papa! Maintenant, tu peux regarder.»

Il semblait abasourdi, mais il n'a rien dit. Il s'est levé et s'est approché pour les examiner de plus près. Puis, il s'est reculé pour les contempler de loin. J'ai essayé de contrôler les tiraillements dans mon estomac. Finalement, avec une larme coulant le long de sa joue, il a marmonné: «C'est incroyable! Les yeux sont tellement réels qu'ils vous suivent partout – et regarde comme ta mère est belle. Me permettrais-tu de les faire encadrer?»

Ravie de sa réaction, je me suis portée joyeusement volontaire pour les déposer le lendemain à la boutique d'encadrement. Plusieurs semaines ont passé. Puis, une nuit de novembre, le téléphone a sonné et un frisson glacé a transi mon corps. J'ai pris le récepteur pour entendre mon mari, un médecin, me dire: «Je suis à l'urgence. Ton père a eu une crise cardiaque. C'est grave, mais il est toujours vivant.»

Papa a traîné dans le coma pendant plusieurs jours. Le jour avant sa mort, je suis allée le voir à l'hôpital. J'ai glissé ma main dans la sienne et je lui ai demandé: «Sais-tu qui je suis, papa?» Il a surpris tout le monde quand il a murmuré: «Tu es ma fille chérie.» Il est décédé le lendemain, et toute joie sembla avoir été vidée de ma vie et de celle de ma mère.

Je me suis alors souvenue d'appeler la boutique d'encadrement pour les portraits et j'ai remercié Dieu que mon père ait eu la chance de voir les toiles avant de mourir. J'ai été surprise quand le boutiquier m'a appris que mon père l'avait visité dans son magasin, qu'il avait payé pour les encadrements et qu'il avait fait faire des emballages-cadeaux. Dans notre deuil, je ne prévoyais plus offrir les portraits à ma mère.

Malgré la perte du patriarche de notre famille, tout le monde s'est rassemblé le jour de Noël – faisant un effort pour être joyeux. Mais en voyant les yeux tristes de ma mère et son visage sans sourire, j'ai décidé de lui donner le cadeau de papa et moi. À la façon dont elle déchirait le papier d'emballage de la boîte, j'ai vu que le cœur n'y était pas. À l'intérieur, il y avait une petite carte attachée aux portraits.

Après avoir regardé les portraits et lu la carte, son attitude s'est complètement transformée. Elle a bondi de sa chaise, m'a tendu la carte et a chargé mes frères d'accrocher les peintures, se faisant face au-dessus de la cheminée. Elle a reculé et les a contemplées longuement. Avec des yeux pétillants mais remplis de larmes, et un large sourire, elle s'est retournée rapidement et a déclaré: «Je savais que papa serait avec nous le jour de Noël!»

J'ai jeté un œil sur la carte gribouillée de la main de mon père: «Maman – Notre fille m'a rappelé pourquoi je suis tant béni. Je vais toujours te regarder. Papa.»

Sarah A. Rivers

Le cadeau de la foi

Mon frère, ma sœur et moi étions des enfants typiques de la banlieue de Baltimore. Ce qui nous distinguait des autres enfants du voisinage était notre éducation catholique irlandaise. Nous étions les enfants «de l'école catholique». Tous nos amis fréquentaient l'école publique. Ils devaient prendre l'autobus scolaire. Ils avaient de nouveaux vêtements chaque automne. Ils parlaient sans cesse de gens que nous ne connaissions que par leurs albums-souvenirs annuels. Et, surtout, ils n'étaient pas forcés d'aller à la messe tous les samedis soir!

Certains de mes amis se rendaient à l'église avec leur famille. À quelques reprises, je les ai même accompagnés, mais je me retrouvais souvent à défendre mes croyances catholiques. En revenant à la maison, je posais souvent à ma mère des questions telles que: «*Pourquoi* prions-nous la Sainte Mère?»

Mon plus jeune frère, Chris, questionnait notre religion pour différentes raisons. Enfant sensible, il était toujours troublé par les bulletins de nouvelles montrant la violence et la famine. Par conséquent, la question qu'il posait souvent à ma mère était: «Comment savez-vous qu'il existe un Dieu?»

Ma mère prenait plaisir à ces conversations. Elle s'assoyait pendant des heures sur sa chaise berçante, heureuse de partager ses croyances, espérant apporter réconfort et force à ses enfants, alors qu'ils devenaient de jeunes adultes indépendants. Sa foi était toujours évidente. Elle a vécu sa vie de la façon dont elle croyait que Dieu voulait qu'elle la vive. C'était la raison pour laquelle elle était à l'aise avec l'idée de mourir. Elle disait souvent: «Lorsque mon temps sera venu, ce sera mon temps. Ce n'est pas de mon ressort.» Elle acceptait la volonté de Dieu pour ce qu'elle était.

Sa foi l'a soutenue dans tous les défis de sa vie. Ce ne fut pas avant la guerre du Golfe que j'ai réalisé à quel point sa foi était puissante. Nouvellement diplômée de l'université et jeune officière de l'armée, je n'avais aucune idée de ce que serait une guerre. Lorsque j'ai été déployée en Arabie Saoudite, ma mère m'a envoyé une carte sur laquelle était écrit: «Mon Dieu, donnez-moi la sérénité d'accepter toutes les choses que je ne peux changer, le courage de changer les choses que je peux et la sagesse d'en connaître la différence.» J'ai placé cette carte près de mon oreiller pour qu'elle soit la dernière chose que je voie le soir et la première, le matin.

Après avoir eu mes propres enfants, j'ai réalisé que la relation entre une mère et ses enfants est spéciale. J'avais toujours aimé ma mère, mais lorsque j'en suis devenue une, j'ai commencé à vraiment l'apprécier. Quand j'étais plus jeune, je m'étais juré que je serais plus que «seulement» une mère dans la vie, rôle qui me semblait tellement trivial et sans importance. À mesure que les événements se déroulaient, je me suis toutefois retrouvée à faire des sacrifices pour ma famille. J'ai appris à quel point une maman est vraiment forte.

Ma mère et moi avons discuté de cela alors que mes trois filles étaient petites. Nous parlions de tout. Elle était vraiment ma meilleure amie. Nos conversations se terminaient toujours ainsi, alors qu'elle disait: «Maman t'aime», et je répondais: «Votre fille vous aime.» Elle savait comment je me sentais, parce qu'elle avait elle-même perdu sa mère peu de temps après avoir donné naissance à ma sœur aînée, Kathy. Cela la rendait triste de n'avoir jamais dit à sa mère à quel point elle l'appréciait. Ironiquement, je n'ai jamais pleinement compris la profondeur de sa peine après la mort de sa mère jusqu'au moment de son propre décès, en mai 1997.

À cette époque, je vivais dans l'Indiana, j'avais trente et un ans et j'étais enceinte de mon quatrième enfant. J'avais hâte de donner naissance à mon bébé, car je savais que ma mère viendrait cuisiner à la maison pour moi. Je l'ai même mentionné à mon mari, le jeudi soir avant le week-end du *Jour commémoratif*[*], après une longue journée de nausées matinales en plus d'avoir pris soin de mes trois petites filles. Je venais à peine de le lui mentionner quand le téléphone a sonné.

Mon beau-frère me téléphonait pour m'annoncer que ma mère était à l'unité des soins intensifs. Son cœur avait cessé de battre cet après-midi-là, alors qu'elle s'entraînait au club de santé. À cinquante-sept ans, elle était en très bonne forme. Elle

* NDT: *Dernier lundi du moi de mai (férié aux États-Unis en l'honneur des soldats américains morts pour la patrie).*

et mon père avaient une vie sociale active et même si elle prenait des médicaments pour le cœur depuis des années, cela ne l'avait jamais ralentie dans ses activités.

Heureusement, un médecin, un pompier en congé et une infirmière s'entraînaient aussi à ce club et ont été en mesure de la réanimer grâce à la réanimation cardiorespiratoire. Elle n'avait aucun souvenir de son épreuve et semblait bien aller aux yeux des personnes qui l'avaient visitée durant le week-end. Je l'ai taquinée, car elle ne se souvenait pas d'avoir vu une lumière blanche au bout du tunnel. Elle m'a affirmé que, si elle devait partir, c'était de cette façon qu'elle le voulait, parce qu'elle n'avait rien senti et que c'était arrivé rapidement.

Je me souviens de lui avoir dit, en plaisantant à moitié: «Au moins, tâchez de tenir bon jusqu'à ce que ce bébé soit né.»

Sa réponse a été: «Lorsque mon temps sera venu, ce sera mon temps. Si le Seigneur me veut, je suis prête.»

«C'est très bien pour vous, ai-je répondu, mais aucun d'entre nous n'est encore prêt à vous voir partir.»

Ce qu'elle a dit ensuite a été les derniers mots qu'elle m'a adressés dont je me souviens. Ils ont été un merveilleux cumul de trente et une années d'éducation catholique irlandaise résumées en quelques lignes humoristiques et sincères: «Que la route vienne vers toi, que le vent soit toujours dans ton dos et que Dieu te tienne dans la paume de sa main jusqu'au jour de nos retrouvailles.» Nous nous sommes dit au revoir, nous avons raccroché et j'ai su que jamais je ne lui parlerais de nouveau. *Votre fille vous aime,* ai-je pensé.

Une opération était prévue pour elle le mardi matin. Si tout allait bien, ma mère aurait son congé le mercredi. Malheureusement, vers six heures ce mardi matin, mon père a reçu un appel. Le cœur de ma mère avait de nouveau cessé de battre. Lui et Chris se sont précipités à l'hôpital et ont été conduits dans une salle d'attente. Ils ont attendu jusqu'à ce qu'une infirmière nommée Bobbie arrive et demande à mon frère: «Êtes-vous Chris?»

Quelques jours plus tard, j'ai téléphoné à Bobbie pour qu'elle me raconte l'histoire. Le cœur de ma mère avait cessé de battre et le personnel médical s'était précipité à son chevet pour la réanimer. Elle était partie depuis environ quarante-cinq minutes. «Nous ne voulions pas arrêter. Elle était trop jeune», a précisé Bobbie. Bien sûr, tout espoir était perdu, mais le personnel a quand même persévéré. Soudain, ma mère a ouvert les yeux! Elle a tendu le bras et saisi celui de Bobbie, l'a regardée droit dans les yeux et lui a dit avec une urgence dans la voix: «Il y a un Dieu! J'ai vu son visage! Dites-le à Chris, il y a un Dieu!» Puis, ma mère est partie.

Notre mère, qui a constamment réaffirmé notre foi en la vie, l'a fait une fois de plus dans la mort. Lorsque j'ai entendu l'histoire, je me suis rappelé les nombreuses fois où j'ai vu ma mère prier le rosaire, utilisant parfois même ses doigts pour compter les

Je vous salue Marie. À tant d'occasions elle a demandé l'intercession de la Sainte Mère: «Sainte Marie, Mère de Dieu, priez pour nous, pauvres pécheurs, maintenant et à l'heure de notre mort.» Ses prières ont été exaucées. Le cadeau de Marie à notre mère a été le cadeau de notre mère pour nous – le cadeau de la foi. Dieu existe.

Kelly E. Kyburz

Je te ferai un arc-en-ciel

Rétrospectivement, j'ai souvent pensé que les médecins auraient dû émettre un certificat de décès autant à moi qu'à mon fils, car lorsqu'il est mort, une partie de moi est morte aussi.

Andy avait presque douze ans. Il s'est battu contre le cancer pendant près de trois ans. Il a suivi des traitements de radiothérapie et de chimiothérapie; il a été en rémission pas seulement une, mais plusieurs fois. J'étais étonnée de sa résilience; il ne cessait de se relever chaque fois que le cancer le jetait à terre. Peut-être étaient-ce son courage et son cran qui ont façonné ma propre attitude à propos de l'avenir d'Andy, ou peut-être étais-je simplement effrayée de devoir affronter la possibilité de sa mort. Peu importe la cause, j'ai toujours pensé qu'Andy traverserait cette épreuve. Il serait l'enfant qui défierait les pronostics.

Au cours de trois étés, Andy a fréquenté une colonie de vacances pour des enfants atteints de cancer. Il adorait l'expérience et semblait se délecter de la semaine où il pouvait oublier les hôpitaux et la maladie pour être simplement un enfant de nouveau. Le lendemain du retour de sa troisième aventure en colonie de vacances, nous nous sommes rendus à la clinique pour obtenir un bilan de santé de routine. Les nouvelles étaient mauvaises. Une transplantation de moelle osseuse fut prévue par le médecin deux jours plus tard dans un hôpital à 480 kilomètres de notre maison. Le lendemain, nous avons mis nos affaires dans une valise et nous sommes partis.

Dans ma valise, j'ai placé entre autres le présent qu'Andy m'avait rapporté du camp – un mini-vitrail en plastique en forme d'arc-en-ciel muni d'une ventouse pour le fixer à une fenêtre. Comme la plupart des mères, je considérais tout présent de mon enfant comme un trésor et je le conservais avec moi.

Nous sommes arrivés à l'hôpital et nous avons commencé l'exténuante épreuve considérée par les médecins comme étant l'unique chance de survie pour mon fils. Nous avons passé sept semaines là-bas; les sept dernières de la vie d'Andy.

Nous n'avons jamais parlé de la mort – sauf une fois. Andy était épuisé et devait sentir qu'il perdait du terrain. Il a tenté de me donner des indices. Après une des nom-breuses procédures difficiles endurées régulièrement, il s'est tourné vers moi, faible et nauséeux, et m'a demandé: «Est-ce douloureux de mourir?»

J'étais stupéfaite, mais je lui ai répondu sincèrement: «Je ne le sais pas. Mais je ne veux pas parler de la mort, parce que tu ne vas pas mourir, Andy.»

Il a pris ma main et m'a dit: «Pas maintenant, mais je suis de plus en plus fatigué.»

Je savais très bien ce qu'il me disait, mais j'ai tenté très fort de l'ignorer et d'empêcher cette terrible pensée de pénétrer dans mon esprit.

Je passais une grande partie de mes journées à observer Andy dormir. Parfois, j'allais à la boutique de cadeaux pour acheter des cartes et du papier à lettres. J'avais très peu d'argent, à peine pour survivre.

Les infirmières connaissaient notre situation et fermaient les yeux quand je dormais dans la chambre d'Andy et mangeais la nourriture supplémentaire que nous avions commandée pour son plateau. Mais j'ai toujours réussi à gratter les fonds de tiroir pour obtenir du papier et des cartes parce qu'Andy aimait tellement recevoir des lettres.

La transplantation de moelle osseuse a été une épreuve terrible. Andy ne pouvait recevoir aucun visiteur, car son système immunitaire était sérieusement compromis. Je savais à quel point il se sentait encore plus isolé que jamais. Déterminée à faire quelque chose pour rendre cette épreuve plus facile, j'ai commencé à approcher de parfaits étrangers dans les salles d'attente pour leur demander: «Pourriez-vous écrire une carte à mon fils?» Je leur expliquais la situation et leur offrais une carte et quelques feuilles de papier pour écrire. La surprise se voyait sur leur visage, mais ils se prêtaient à l'exercice. Personne n'a refusé de poser ce geste, car un seul coup d'œil jeté sur moi et ils voyaient une mère dans la douleur.

J'ai été étonnée que ces gens aimables, qui eux-mêmes devaient surmonter leurs propres difficultés, prennent le temps d'écrire à Andy. Certains signaient simplement une carte avec un petit message de prompt rétablissement. D'autres écrivaient de véritables lettres: «Salut, moi je viens de l'Idaho et je visite ma grand-mère, ici à l'hôpital...». Ils remplissaient une page ou deux de leur histoire, invitant parfois Andy à venir les visiter chez eux lorsqu'il serait rétabli. Un jour, une femme m'a complètement ébranlée en me disant: «Il y a quelques semaines, vous m'avez demandé d'écrire à votre fils. Puis-je lui écrire de nouveau?» J'ai posté toutes les lettres à Andy et, pendant qu'il les lisait, je l'ai observé, heureuse. Andy a reçu un flot régulier de lettres jusqu'au jour de sa mort.

Un jour, je me suis rendue à la boutique de cadeaux pour acheter d'autres cartes et j'ai vu en vente un prisme en forme d'arc-en-ciel. Me souvenant du mini-vitrail en arc-en-ciel qu'Andy m'avait offert, j'ai senti que je devais le lui acheter. C'était beaucoup d'argent dépensé, mais je l'ai tendu à la caissière, puis je me suis précipitée dans la chambre d'Andy pour le lui montrer.

Il était étendu dans son lit, trop faible pour même soulever sa tête. Les stores étaient presque fermés, mais un rayon de lumière passait obliquement à travers son lit. J'ai mis le prisme dans ses mains et je lui ai dit: «Andy, fais-moi un arc-en-ciel.» Mais Andy en était incapable. Il a tenté de lever son bras, mais c'était trop d'efforts pour lui.

Il a tourné son visage vers moi et m'a dit: «Maman, dès que j'irai mieux, je te ferai un arc-en-ciel que tu n'oublieras jamais.»

Ce fut l'une des dernières paroles qu'Andy m'a dites. Quelques heures plus tard, il s'est endormi et, durant la nuit, il a glissé dans un coma. Je suis restée avec lui dans l'unité des soins intensifs, le massant, lui parlant et lui lisant son courrier, mais il n'a jamais bougé. Les seuls sons étaient le ronronnement et le bip constants du respirateur artificiel près de son lit.

Je regardais la mort bien en face, mais je croyais quand même qu'il y aurait un sauvetage de dernière minute, un miracle qui me ramènerait mon fils.

Cinq jours plus tard, les médecins m'ont dit que son cerveau avait cessé de fonctionner et que le moment était venu de débrancher les machines qui gardaient son corps en vie.

J'ai demandé si je pouvais le prendre dans mes bras. Dès le lever du jour, on a apporté une chaise berçante dans la chambre et après m'y être installée, on a éteint les machines. En soulevant mon fils du lit pour le placer dans mes bras, son pied a fait un mouvement involontaire et a frappé une cruche en plastique transparent sur sa table de chevet, qui s'est retrouvée sur son lit.

«Ouvrez les stores, ai-je crié aussitôt. Je veux que cette pièce soit remplie de lumière!» L'infirmière s'est précipitée vers la fenêtre pour tirer la corde.

Comme elle s'exécutait, j'ai remarqué un minivitrail en forme d'arc-en-ciel fixé à la fenêtre, qu'un patient précédent avait sans doute laissé dans cette chambre. J'ai retenu mon souffle, émerveillée. Puis, alors que la lumière commençait à remplir la chambre, elle a frappé la cruche renversée sur le lit et toutes les personnes présentes ont cessé de s'affairer, muettes d'admiration et de respect.

La pièce était remplie d'éclats de couleur: des douzaines et des douzaines d'arcs-en-ciel sur les murs, le plancher, le plafond et sur la couverture qui enveloppait Andy alors qu'il reposait dans mes bras – l'arc-en-ciel donnait vie à la pièce.

Personne ne pouvait prononcer un seul mot. J'ai regardé mon fils et il avait cessé de respirer. Andy était parti, mais déjà dans cette première vague de chagrin, je me suis sentie réconfortée. Andy avait fabriqué l'arc-en-ciel qu'il m'avait promis – celui que je n'oublierais jamais.

Linda Bremner

THE FAMILY CIRCUS®, par Bil Keane

« Si quelqu'un meurt à l'hôpital, les anges le déplacent dans la chambre de l'éternité. »

Reproduit avec l'autorisation de Bil Keane.

Sept blancs, quatre rouges et deux bleus

Une seule joie anéantit
une centaine de chagrins.

Proverbe chinois

Je crois que chaque objet dans notre vie conserve un souvenir. L'objet le plus précieux dans ma vie, et celui qui garde le plus de souvenirs, est une boîte en fer-blanc rouillée. Il me suffit de regarder cette vieille boîte bosselée, posée obscurément sur mon étagère à livres près d'une photo de ma fille de cinq ans, pour libérer en moi un flot de souvenirs et d'émotions. Certains sont heureux – d'autres sont tristes – mais ils sont tous les miens.

Le premier véritable amour de ma vie, et celui qui me fait souffrir encore le plus, a été une jeune fille japonaise prénommée Hitomi. En japonais, son nom signifie *pure beauté*, et vous n'aviez pas besoin de parler la langue pour comprendre cela. Vous n'aviez qu'à la regarder. La première fois que nous nous sommes rencontrés, dans un club de nuit à Okinawa au Japon, j'avais vingt-six ans et elle, vingt et un. Je vous le jure, elle sortait tout droit d'un conte de fées. Elle avait de longs cheveux de jais droits et soyeux qui flottaient autour de sa taille parfaite et mettaient en valeur sa silhouette d'à peine quarante-sept kilos. Sa peau était douce et halée, et semblait luire au soleil, mais ce dont je me souviens le plus, ce sont ses yeux. Ils semblaient regarder directement à travers moi et atteindre les profondeurs de mon âme. J'étais amoureux.

Nous avons commencé à nous fréquenter peu de temps après cette première rencontre. Hitomi était très sentimentale. Pour elle, chaque jour revêtait une importance particulière. J'allais bientôt comprendre pourquoi.

Nous sortions ensemble depuis environ un mois lorsqu'un jour elle s'est présentée à mon appartement et m'a remis quelque chose. «Un cadeau», m'a-t-elle dit. J'ai ouvert les mouchoirs pliés avec soin qu'elle avait utilisés pour emballer le cadeau. Ce que j'ai vu m'a surpris – une vieille boîte de cigares bosselée et rouillée, couleur vert lime. Sur le dessus du couvercle, on voyait les restes d'une image. À travers la rouille et la peinture écaillée, je pouvais à peine deviner ce qui semblait être un doigt et une oreille. Le reste de la boîte n'était pas en meilleur état – comme si elle avait été traînée derrière une voiture après un mariage, il y a soixante ans.

«Merci, lui ai-je dit. Mais si nous devons échanger de la camelote, permets-moi de prendre quelque chose pour toi dans mes ordures.»

Elle n'a pas saisi ma tentative d'humour. «Ouvre», m'a-t-elle dit de nouveau, en prenant la petite boîte et en me la tendant. De la peinture et de la rouille sont tombés de la boîte en la prenant dans mes mains. J'étais réticent à l'ouvrir, craignant qu'elle ne contienne les restes du premier gâteau aux fruits du monde. «Ouvre», m'a-t-elle dit de nouveau, cette fois en me tapant sur le côté de la tête et en poussant la boîte contre ma poitrine. J'ai ouvert la boîte et j'ai été stupéfait. L'intérieur était fini en feuilles d'or polies et brillait comme un miroir.

Dans la boîte, il y avait un seul cygne blanc en papier origami. «Chaque mois que nous serons ensemble, je te ferai un cygne blanc à mettre dans ta boîte», a-t-elle confié. «Au terme d'une année, nous ferons une guirlande avec les cygnes pour la suspendre à l'arbre de prières devant le Temple Nishiohama. Ce sera notre façon de remercier Dieu pour le temps passé ensemble. Je te ferai un cygne bleu, à mettre dans ta boîte, pour souligner notre année d'amour ensemble. Et si jamais nous avions une dispute, je nous ferai un cygne rouge. Quand nous le verrons dans notre boîte, nous nous souviendrons de notre erreur et nous apprendrons d'elle en tant que couple.»

Nous avons accroché deux guirlandes de cygnes à l'arbre, devant le Temple, durant la période que nous avons passé ensemble. Et, parfois, quelques cygnes rouges sont apparus également dans notre boîte.

C'est au cœur de notre troisième année ensemble que Hitomi a commencé à être malade. Elle m'avait déjà annoncé des problèmes de santé par le passé, mais rien de suffisamment grave pour que je me fasse du souci. Ce fut le seul mensonge que Hitomi me raconta. J'ai appris par sa meilleure amie qu'elle avait la leucémie et qu'elle en était aux derniers stades de cette maladie horrible. Ses parents l'ont fait admettre à l'hôpital et, après plusieurs semaines d'imploration, ils m'ont finalement permis de la voir. Je me suis assis près de son lit et j'ai doucement embrassé ses lèvres. Lorsqu'elle m'a vu, elle a souri.

«Bonjour, chéri», souffla-t-elle. Puis, elle pointa la table de chevet à côté de son lit. « S'il te plaît, ouvre-le pour moi. » J'ai ouvert le tiroir et j'ai vu à l'intérieur un cygne en papier blanc. «J'ai voulu l'apporter à ta maison, mais je suis trop malade. Je suis désolée. Maintenant, s'il te plaît, mets-le dans notre boîte, d'accord?»

J'ai hoché la tête et embrassé son front – les larmes coulant le long de mes joues. Je n'ai pas remarqué à quel point elle était devenue frêle. Ou que sa peau, jadis hâlée et luisante, était désormais pâle et grise. Je n'ai pas remarqué non plus que ses longs cheveux soyeux, qu'elle peignait méticuleusement chaque jour, avaient disparu en raison des doses massives de chimiothérapie. Je n'ai rien vu de cela. À mes yeux, elle était aussi jolie qu'au premier jour de notre rencontre, peut-être même davantage. C'est à ce moment-là que j'ai réalisé que je ne la regardais pas – que je regardais à l'intérieur d'elle. J'ai vu la beauté inaltérable en elle. J'ai vu ce qui était important. J'ai compris alors la signification de cette petite boîte qu'elle m'avait offerte. C'était sa façon de me préparer à ce qu'elle savait inévitable pour elle – sa façon de m'enseigner que la pure beauté réside à l'intérieur. Et que, peu importe à quel point l'extérieur peut nous sembler vieux ou brisé, ce qui est important – ce qui est vrai –, c'est ce qui est entretenu à l'intérieur de soi.

Hitomi est décédée deux jours plus tard. Sa famille ne m'a pas permis que j'assiste aux funérailles. J'étais un étranger. C'était très bien. Chaque fois que j'ouvrais cette vieille boîte en fer-blanc, je savais que Hitomi était avec moi et qu'elle le serait toujours.

Un jour, j'ai lu cette phrase: «Personne ne connaît la signification d'un objet, sauf celui à qui il appartient.» Quand je regarde la boîte en fer-blanc, je pense à quel point cela est véridique. Depuis son décès, des gens m'ont questionné sur la relation que j'ai eue avec Hitomi. Ma réponse est aussi déroutante pour eux qu'elle est simple pour moi. «Sept blancs, quatre rouges et deux bleus.»

Robert P. Curry

L'héritage de vie de Joseph

En aidant les autres nous nous aidons nous-mêmes, car le bien que nous faisons complète le cercle et finit par nous revenir.

Flora Edwards

Avec tendresse, j'ai déballé le trophée de la Petite Ligue de mon fils Joseph, sa pile de bandes dessinées de X-Man et les photos encadrées d'éléphants, qui ont décoré les murs de sa chambre dans notre ancien appartement. À peine deux semaines plus tôt, Joseph avait tellement hâte de déménager dans sa propre chambre de la nouvelle maison. Maintenant, en faisant son lit, je ne pouvais retenir mes larmes. *Mon petit garçon ne dormira jamais ici,* ai-je pensé, le cœur brisé. *Je ne pourrai plus jamais voir son sourire ou sentir ses câlins remplis d'amour.*

Me demandant comment je pourrais poursuivre ma route, j'ai commencé à déballer les douzaines d'animaux en peluche que Joseph adorait collectionner – ours et singes, tamias et girafes.

Assise sur son lit, j'ai étreint l'ours Chris Colombus contre lequel il se blotissait quand il était petit et que je lui lisais *Je t'aime pour toujours*, ou une autre de ses histoires favorites. Joseph aimait les livres et, pour lui, ils étaient d'autant plus précieux, car il avait un trouble d'apprentissage qui lui rendait la lecture impossible.

Mais Joseph était un petit garçon déterminé qui refusait que son trouble soit un frein à son éducation. Il écoutait ses livres d'école et ses examens sur bandes sonores et, tous les soirs, nous nous asseyions à la table de cuisine afin que je lui lise ses problèmes de mathématiques et que je l'aide dans son orthographe. Joseph travaillait tellement fort, se retrouvant toujours sur la liste des meilleurs élèves. Il a aussi remporté une ceinture verte en karaté et il était lanceur pour son équipe de baseball de la Petite Ligue.

À bien des points de vue, Joseph était seulement un petit garçon normal qui aimait jouer à des jeux vidéo avec son frère David ou aller au cinéma avec sa sœur Shalom. Mais Joseph savait également ce qu'était le fait de se sentir différent et d'avoir besoin d'une main secourable.

Je ne peux me souvenir combien de fois j'ai aperçu Joseph transporter les sacs d'épicerie pour des personnes âgées du voisinage ou refuser de l'argent après avoir balayé la neige sur leur voiture. Il adorait organiser des spectacles de marionnettes pour la petite fille en bas de la rue qui souffrait du syndrome de Down. Et un jour, lorsque les médecins de son ami Micah ont pensé qu'elle pourrait avoir besoin d'une transplantation rénale, mon fils est venu me voir et m'a dit: «J'aimerais vraiment pouvoir lui offrir un de mes reins.»

Joseph, mon *épatant petit bonhomme*, me rendait toujours fière, même au dernier jour de sa vie.

Ce samedi après-midi-là, je pliais des vêtements dans la pièce de travail lorsque, de nulle part, mon mari me cria d'appeller le 9-1-1. Lui et Joseph discutaient d'un film qu'ils se proposaient d'aller voir quand soudain Joseph s'est effondré sur son lit en se plaignant d'un terrible mal de tête. Sa respiration est devenue irrégulière, puis elle s'arrêta. Lou, qui est médecin, lui a fait la respiration artificielle jusqu'à l'arrivée des ambulanciers. Puis, il a téléphoné à l'urgence pour les prévenir, pendant que j'accompagnais Joseph dans l'ambulance et que je priais qu'il ne meurt pas.

Joseph, qui respirait la santé, avait souffert d'un anévrisme foudroyant au cerveau. «Va-t-il mourir?» ai-je demandé à mon mari. «Oui», a-t-il répondu en me serrant très fort.

Cela semblait impossible. À peine une heure plus tôt, mon garçon était à la maison et regardait la télévision – et maintenant, il était branché sur un respirateur artificiel sans aucun espoir qu'il reprenne conscience un jour. Je voulais hurler d'horreur et de chagrin.

Mais le temps allait manquer. J'avais quelque chose d'important à faire – et je devais le faire tout de suite.

«Nous devons donner ses organes», ai-je dit à Lou, me rappelant le jour où Joseph avait voulu donner un rein à Micah. «C'est ce qu'il aurait voulu que nous fassions.»

Un coordonnateur des greffes a pris toutes les dispositions et, quelques heures plus tard, notre famille était réunie au chevet de Joseph pour lui offrir nos prières et lui faire nos adieux.

Nous sommes ensuite revenus à la maison et, durant toute cette nuit, alors que les chirurgiens récupéraient les organes de mon fils, je me suis recroquevillée dans son lit, serrant sa couverture favorite et lui disant à quel point je l'aimerai toujours.

Je ne sais pas comment j'ai survécu aux deux semaines qui ont suivi – les funérailles et le déménagement dans la nouvelle maison dont nous avions déjà signé le contrat d'achat. Je pleurais chaque fois que j'approchais de la nouvelle chambre de Joseph – celle qu'il aurait adorée si seulement il avait vécu. Il y avait un trou béant dans mon cœur.

Puis,un jour, alors que je ne pouvais plus supporter la douleur, j'ai reçu une lettre du coordonnateur des greffes. «Je vous écris pour vous communiquer les fruits de votre générosité», ai-je lu pendant que les larmes inondaient mes joues.

Deux femmes du Kentucky, dont l'une d'elles était la mère d'un garçon de l'âge de Joseph, n'avaient plus recours à la dialyse parce que chacune avait reçu un rein de mon fils. Pendant ce temps, au Missouri, des cellules du foie de Joseph aidaient à maintenir en vie un patient en attente de greffe et dans un état critique pendant que les médecins attendaient qu'un donneur compatible soit disponible. En Californie, deux jeunes enfants seraient bientôt capables de courir et de jouer, ayant reçu de nouvelles valves cardiaques saines que mon fils leur a léguées. Et deux adolescents, un du Kentucky et l'autre de New York, ont pu recouvrir la vue grâce aux cornées de Joseph.

La vie de sept personnes a radicalement changé grâce à mon fils. J'ai gardé la lettre sur moi pendant des jours, la lisant et la relisant, m'émerveillant particulièrement de ces adolescents qui ont reçu les cornées de Joseph. Le trouble d'apprentissage de mon fils l'avait empêché de lire. Mais en raison de son cadeau très spécial, il y avait maintenant deux enfants de plus dans le monde qui le pouvaient. D'une certaine manière, cela m'a aidée à comprendre que mon fils n'avait pas perdu sa vie en vain.

Je voulais que chacun des receveurs de Joseph sache qui il était. Un soir, j'ai écrit à chacun une lettre et je leur ai tout raconté de ce petit garçon qui leur a offert l'ultime cadeau. J'ai demandé à l'agence des greffes d'acheminer ces lettres aux sept receveurs. J'ai aussi envoyé à chacun d'eux un des animaux en peluche tant chéris de mon fils ainsi qu'une copie écrite d'un exposé oral qu'il avait fait à l'école un jour, décrivant comment en prendre soin.

Sachant tout le bien que mon fils a apporté au monde, il m'est maintenant plus facile de passer devant sa chambre sans fondre en larmes. Cela a également aidé le reste de ma famille et, finalement, nous avons été capables d'échanger des souvenirs de Joseph autour de la table et dans d'autres réunions de famille.

Lou et moi avons aussi honoré la mémoire de Joseph en parlant à des groupes communautaires et à des étudiants sur l'importance des dons d'organes. Après une entrevue à la télévision, la mère qui a reçu un des reins de Joseph est entrée en contact avec nous.

«Je ne sais pas comment vous remercier», a-t-elle dit en sanglotant, le premier jour de notre rencontre.

«Voir une partie de mon fils qui continue à vivre est un remerciement suffisant pour moi», ai-je répondu. En raison de son nouveau rein, cette mère a pu assister à la remise des diplômes de son fils. Joseph n'a jamais gradué, mais plutôt que d'envier le bonheur de cette femme, je m'en suis imprégnée – parce que mon fils a rendu ce miracle possible.

Mon fils est parti mais, d'une manière très réelle, il vit encore, faisant ce qu'il a toujours fait le mieux – offrir une main secourable aux autres dans le besoin. Certains disent que la vie de Joseph a été brève. Je dis qu'elle a été remplie.

Une fois, j'ai entendu dire que si vous sauviez une vie vous sauviez le monde. Mon fils a sauvé cinq vies et a redonné la vue à deux autres personnes. Qu'est-ce qu'une mère pourrait demander de plus à son enfant? Quelle mère pourrait être plus fière que moi?

Kathie Kroot,
tel que raconté à Heather Black

Pour qu'on se souvienne de moi

Le jour viendra où mon corps reposera sur un drap blanc soigneusement glissé sous les quatre coins d'un matelas, dans un hôpital fort occupé avec les vivants et les mourants. À un certain moment, un médecin va déterminer que mon cerveau a cessé de fonctionner et que, à toutes fins utiles, ma vie s'est arrêtée.

Lorsque cela surviendra, ne tentez pas d'insuffler une vie artificielle dans mon corps à l'aide d'une machine. Et n'appelez pas cela mon lit de mort. Qu'on l'appelle plutôt le Lit de Vie, et prenez les parties de mon corps pour en aider d'autres à mener une vie plus remplie.

Donnez mes yeux à l'homme qui n'a jamais vu un lever de soleil ou le visage d'un bébé ou l'amour dans les yeux d'une femme. Donnez mon cœur à une personne dont le sien ne lui a causé que d'interminables souffrances. Donnez mon sang à un adolescent qu'on a extirpé des débris de sa voiture, afin qu'il puisse vivre pour voir un jour ses petits-enfants jouer. Donnez mes reins à une personne qui, chaque jour, dépend d'une machine pour vivre. Prenez mes os, chaque muscle, chaque fibre et chaque nerf de mon corps et cherchez une façon de permettre à un enfant handicapé de marcher.

Explorez chaque recoin de mon cerveau. Prenez mes cellules si nécessaire, et laissez-les croître pour qu'un jour un garçon muet puisse crier au coup sec d'un bâton de baseball et qu'une fille sourde entende le bruit doux de la pluie contre sa fenêtre.

Brûlez ce qu'il reste de moi et dispersez mes cendres au vent pour aider les fleurs à pousser.

Si vous devez enterrer quelque chose, que ce soient mes défauts, mes faiblesses et tous mes préjugés contre mes semblables.

Donnez mes péchés au diable. Donnez mon âme à Dieu.

Si, par hasard, vous désirez vous souvenir de moi, faites-le avec une bonne action ou un bon mot à l'égard de quelqu'un qui a besoin de vous. Si vous faites tout ce que je vous demande, je vivrai pour toujours.

Robert N. Test

La boîte de crayons

J'étais entièrement plongée dans mes pensées au bureau, préparant une conférence pour le soir même dans une université à l'autre bout de la ville, quand le téléphone a sonné. Une femme, que je n'avais jamais rencontrée, m'a dit qu'elle était la mère d'un garçon de sept ans et qu'elle allait bientôt mourir. Elle a ajouté que son thérapeute l'avait avisée que discuter de sa mort imminente avec son petit garçon serait trop traumatisant pour lui et que, d'une certaine manière, cela ne lui semblait pas la bonne chose à faire.

Sachant que je travaillais avec des enfants en deuil, elle m'a demandé mon opinion. Je lui ai dit que notre cœur est souvent plus intelligent que notre cerveau et que j'étais certaine qu'elle savait ce qui serait le mieux pour son garçon. Je l'ai ensuite invitée à venir assister à ma conférence donnée en soirée, puisque j'allais parler de la façon dont les enfants affrontent la mort. Elle m'a répondu qu'elle serait là.

Plus tard, je me suis demandé si je la reconnaîtrais à la conférence, mais quand j'ai vu une femme frêle soutenue par deux adultes entrer dans la salle, j'ai su que c'était elle. J'ai parlé du fait que les enfants ressentent habituellement la vérité bien avant qu'elle leur soit dite et qu'ils attendent souvent de sentir que les adultes sont prêts à en parler avant de partager leurs inquiétudes et leurs questionnements. J'ai dit que les enfants peuvent habituellement mieux gérer la vérité que le déni, même si le déni est destiné à les protéger de la souffrance. J'ai ajouté que respecter les enfants signifiait les inclure dans la tristesse familiale, non pas les repousser.

À la pause, la femme est venue vers moi en boitillant et m'a confié, à travers ses larmes: «Je le savais dans mon cœur. Je savais bien qu'il fallait que je le lui dise.» Elle m'a annoncé qu'elle le ferait en rentrant ce soir-là.

Le lendemain matin, elle m'a téléphoné de nouveau. J'ai essayé de comprendre son histoire à travers sa voix étranglée. Elle m'a raconté qu'elle avait réveillé son fils en rentrant à la maison et lui avait dit doucement: «Derek, j'ai quelque chose à t'annoncer.»

Il m'a rapidement interrompu en ajoutant: «Oh, maman, c'est maintenant que tu vas me dire que tu vas mourir?»

Elle l'a serré très fort dans ses bras et les deux ont sangloté pendant qu'elle disait: «Oui».

Après quelques minutes il est descendu de son lit, lui disant qu'il avait quelque chose pour elle qu'il avait gardé. Dans le fond d'un de ses tiroirs, il y avait une boîte à crayons sale. Dans la boîte, il y avait un mot simplement griffonné: «Au revoir, maman. Je t'aimerai toujours.»

Combien de temps avait-il attendu avant d'entendre la vérité, je ne le sais pas. Mais je sais que deux jours plus tard sa mère mourait. Dans son cercueil ont été placées une boîte à crayons sale et une lettre.

Doris Sanford

Ces inoubliables mardis après-midi

Allez donc gaiement vers le ciel.

Richard Burton

«Dis à Pat d'organiser la soirée d'anniversaire de Jeanne sans moi, disait la note. Je ne veux pas y assister dans cet état et leur gâcher les choses.»

Une autre note griffonnée, désespérée. Je commençais à détester ces petites communications de ma mère.

À peine une année plus tôt, ma mère, alors âgée de cinquante-six ans, et papa, âgé de cinquante-huit, vivaient les meilleurs moments de leur vie.

«Trouve-toi une gardienne, Pat, et viens skier avec nous», nous invita joyeusement maman. Cet hiver-là, pendant leurs cours de descente en ski alpin, ils se sont lancés du haut des pentes de neige tassée du nord de l'Illinois, chaque semaine.

Maman a eu un petit rire quand je lui ai demandé comment se passaient leurs cours de danse sociale au YMCA: «Nous apprenons enfin à danser le fox-trot de la bonne façon.»

Maman et papa travaillaient tous les deux à temps plein, mais maintenant que ma sœur était à l'université, ils planifiaient leur retraite avec enthousiasme. «Nous ferons peut-être le tour du Pacifique Sud!» a lancé papa, radieux. «Et un voyage en Nouvelle-Angleterre», a répliqué maman en écho.

Entre-temps, ils faisaient la fête, effectuaient des escapades de week-ends et appréciaient la bonne vie avec leurs amis aussi à l'aube de leur retraite.

Puis, ce même hiver, comme un monstre avide de tout gâcher, le désastre a frappé. Une sclérose latérale amyotrophique (SLA), aussi connue sous le nom de maladie de Lou Gehrig, a pris racine dans le corps de ma mère.

Au cours des mois suivants, elle a d'abord marché avec une canne, puis une marchette et a ensuite été confinée à un fauteuil roulant. Maintenant, moins d'une année après le diagnostic, elle était incapable de bouger la plupart de ses muscles, incapable de parler, à peine capable d'avaler – et tellement dépressive qu'elle évitait les rencontres avec la famille proche, comme le dîner d'anniversaire de sa petite-fille la plus âgée.

Oh! comme ma mère s'ennuyait de ses amis, de son travail et de ses activités à l'église. La maladie était fatale, et alors que ses symptômes augmentaient, son état dépressif s'amplifiait aussi. Elle se sentait si inutile, incapable de laver son visage ou même de peigner ses cheveux.

Elle était une femme intelligente qui adorait lire, mais elle n'avait pas la force de tenir un livre. Nous avons essayé de lui en lire certains, nous avons vérifié à la bibliothèque ceux qui étaient disponibles sur cassettes, mais elle se fatiguait rapidement «d'écouter» les livres.

Les frustrations de maman ont augmenté jusqu'à ce qu'elle ne puisse plus faire rien d'autre que pleurer et écrire ces notes pathétiques. J'étais tourmentée. *Qu'est-ce que je pourrais faire pour l'aider à se sortir de cette humeur noire?*

Ses amis étaient également déroutés. «Pat, que pouvons-nous faire pour ta mère? Nous savons que nos visites la fatiguent.» Ses amis du club de cartes, qu'elle fréquentait depuis vingt-cinq ans, m'ont dit: «Nous prions pour Lucy tous les jours, mais nous désirons faire plus, auriez-vous une idée?»

Quant à ses collègues, ils ont mentionné: «Votre mère nous manque tellement à l'école, mais nous avons peur qu'en la visitant, elle devienne trop énervée en essayant de nous parler.»

Betty, l'une des plus proches amies de maman, m'a dit: «Ça me manque de parler au téléphone avec Lucy chaque semaine. Je veux la voir, lui tenir la main. Comment peut-on la rendre plus à l'aise, plus consciente de notre amour, de notre soutien et de nos prières?»

Au secours! ai-je pensé. Soudain, le problème n'était plus de savoir ce que je pouvais faire pour ma mère, mais on s'attendait maintenant à ce que j'arrive avec une solution pour tous ses amis.

Betty arrêta à la maison un après-midi. «Pat, ta mère s'est toujours tournée vers Marie, la mère de Jésus, pour obtenir aide et réconfort. As-tu déjà écouté attentivement les paroles du *Je vous salue Marie*?»

Betty me répéta les mots lentement: *Je vous salue Marie, pleine de grâce. Le Seigneur est avec vous. Vous êtes bénie entre toutes les femmes, et*

Jésus, le fruit de vos entrailles, est béni. Sainte Marie, mère de Dieu, priez pour nous, pécheurs, maintenant et à l'heure de notre mort. Amen.

«Ne vois-tu pas, Pat? *Priez pour nous... maintenant et à l'heure de notre mort.* C'est une belle prière, tellement appropriée pour ta mère. Invitons tous ses amis chez elle une fois par semaine pour réciter le rosaire. Nous prendrons le ciel d'assaut avec nos *Je vous salue Marie* et nos *Notre Père.*»

J'ai imaginé les amis de ma mère, ses parents, ses collègues, ses voisins et des membres proches de l'église dans sa maison. *Tellement de gens en même temps. Est-ce que ce sera trop pour elle?* Je me suis posé la question.

«Betty, envoyons une invitation à chaque personne en expliquant que les séances de prières devront être courtes, quarante-cinq minutes ou une heure, incluant le temps de visite, pas trop long pour ne pas épuiser maman, mais assez pour qu'elle puisse s'imprégner de l'amour que ses amis brûlent de lui donner. Nous commencerons par le rosaire, puis nous dirons les prières qui viendront spontanément de notre cœur. Ensuite, chaque personne pourra aller la saluer, assise dans son fauteuil roulant, l'embrasser et lui dire quelques mots.»

Betty a fait quarante copies de la lettre et les a postées. Les prières du mardi après-midi chez Lucy ont débuté au printemps et se sont poursuivies chaque semaine au cours des mois d'été.

Ah! comme maman attendait avec impatience ces journées lorsque trente ou quarante personnes de tous les milieux, certaines ne se connaissant même pas, rassemblées dans notre maison familiale, s'agenouillaient sur le sol et priaient pour ma mère. Ensuite, on riait et on pleurait, on se mettait au courant des dernières nouvelles et on partageait des amitiés.

Chaque lundi, elle me remettait une note: «Pat, pourrais-tu, s'il te plaît, coiffer mes cheveux ce soir ? Demain, mes amis vont venir.» Avant ces soirées, elle ne semblait même pas se soucier de son apparence.

Elle a commencé à se déplacer dans la maison, assise dans son fauteuil électrique, s'assurant que l'un ou l'autre prendra ceci ou cela – préparant sa maison pour ses amis.

Une autre fois, une de ses notes disait : «J'aurais bien besoin de quelques blouses d'été. De jolis modèles, en coton, faciles à enfiler, avec des imprimés aux couleurs éclatantes.»

Alors que les séances de prières du mardi se poursuivaient, l'humeur de maman s'égayait en même temps que ces blouses aux couleurs vives. Elle était absolument impressionnée par le nombre de personnes qui venaient chaque semaine. Toute son attitude a changé. Nos prières du mardi avaient été entendues.

Un mardi, avant l'arrivée des gens, ma mère m'a griffonné une note. «Pat, je suis désolée, je ne pourrai me présenter à la rencontre aujourd'hui. Quand des amis proches et des parents arrivent, mon visage et ma gorge réagissent avec émotion, me laissant épuisée et impuissante. Mais en restant assise ici dans le bureau, je saurai que leur amour est ici. »

Moins d'un mois après avoir écrit cette note, maman a reçu la communion à la maison, du curé de notre paroisse, et elle est décédée doucement au cours de la soirée, mon père à ses côtés.

Je n'oublierai jamais ces mardis après-midi lorsque des douzaines de personnes se sont rassemblées dans notre maison et y ont senti la présence de Dieu. Il a répondu à nos prières en redonnant à ma mère son sentiment de valeur personnelle et de joie. Il a éliminé sa dépression et entouré ses derniers jours de la chaleur de son amour et de celle de ses amis. Même aujourd'hui, des années plus tard, les mardis après-midi continuent de réchauffer mon cœur, dans l'attente de quelque chose de très bon qui nous arrivera à tous lorsque nous nous agenouillons et prions.

Patricia Lorenz

Quelqu'un d'aussi jeune

Une vie ne se mesure pas par sa durée,
mais par son don.

Peter Marshall

Pleurer la mort de mes fils jumeaux nouveau-nés m'a enseigné plusieurs leçons. La plus importante a été que, peu importe le défi, nous avons tous suffisamment de force intérieure si nous avons le soutien suffisant autour de nous. J'ai décidé de faire ma part en offrant ce soutien au plus grand nombre possible de parents en deuil tout en encourageant avec douceur les familles à profiter de chaque occasion qui les aiderait à guérir. Comme le luxe du temps à la prise de décision n'est pas permis dans les jours suivant un décès, le temps est essentiel. Je n'ai jamais entendu un parent en deuil exprimer du regret pour ce qu'il a accompli, mais j'ai souvent entendu: «Je regrette de ne pas avoir pu…»

À la fin d'une soirée d'hiver, une amie commune m'a informée que le bébé d'un jeune couple était décédé la veille, apparemment du syndrome de mort subite du nourrisson (SMSN). Elle a souligné que la mère, plus particulièrement, traversait un moment difficile et l'amie m'a demandé si je pouvais leur rendre visite.

En remontant l'allée, munie des photos de mes propres bébés, j'ai été accueillie par le père endeuillé.

«Je suis tellement désolée», ai-je dit. Il a hoché la tête et m'a fait entrer dans la maison.

Rhonda, la mère du bébé, était assise à la table, apparemment inconsciente de mon arrivée. Les yeux gonflés, elle regardait ses mains. Notre amie commune et sa fille étaient avec elle, l'air triste et se sentant totalement impuissantes.

Les présentations ont eu lieu, et Rhonda a à peine incliné la tête en signe de salut. Je me suis assise à ses côtés et j'ai attendu. Puisqu'elle n'engageait aucune conversation, j'ai commencé à lui parler de ma propre expérience avec mes jumeaux. Même si j'étais consciente d'ignorer totalement ce qu'elle traversait, je voulais qu'elle sache que j'avais vécu une expérience similaire et que, malgré tout, j'étais toujours là, entière et en vie.

Finalement, Rhonda m'a raconté comment elle a découvert sa fille. Elle a pris le bébé puis l'a tendue à son mari, espérant en dépit de tout que Barry puisse la réanimer. Il a automatiquement essayé, mais il est devenu rapidement évident que Sarah était décédée.

Lorsque le coroner est arrivé, il a installé bébé Sarah sur le lit des parents pour un examen préliminaire. Rhonda a frissonné. «Comment pourrais-je jamais dormir là de nouveau?» Tout était maintenant clair. Non seulement elle détestait la mort parce qu'elle l'avait séparée de son bébé, mais aussi parce qu'elle avait souillé sa maison et sa famille. Rhonda n'avait plus beaucoup d'énergie, et elle passait le peu qu'il lui restait à haïr son ignoble ennemie.

J'ai sorti les photos de mes petits garçons. «Quand Josh et Cole sont décédés, nous les avons gardés avec nous plusieurs heures», lui ai-je confié doucement.

Pour la première fois, Rhonda m'a regardée, ses yeux pénétrants cherchant mon visage pour obtenir des réponses aux questions qu'elle ne voulait même pas poser. J'ai poursuivi. «Nous avons pris des mèches de leurs cheveux, les empreintes de leurs pieds et les avons simplement serrés fort dans nos bras.»

«Mais, ils étaient morts!» Rhonda venait de trébucher dans un territoire si étranger pour elle qu'elle ne pouvait même pas croire qu'elle prononçait ces mots.

«Oui, ils étaient morts. Mais une transition était nécessaire pour nous entre les aimer physiquement et les aimer comme des esprits. C'est une des choses les plus difficiles qu'on apprend à faire, mais c'est possible d'y arriver. Même si l'étincelle de ce qu'ils ont été, leur âme, n'était plus dans ces petits corps, néanmoins leurs corps étaient encore là pour que nous puissions les tenir dans nos bras. Et pour cela, je serai éternellement reconnaissante.»

Elle regarda de nouveau ses mains. «Barry veut aller la voir. Il veut lui dire au revoir, murmura-t-elle. Je ne veux pas, bien que…»

Je savais que Rhonda revivait tous les sentiments d'horreur qu'elle avait ressentis en trouvant sa fille inerte. Je lui ai mentionné: «Elle ne sera pas comme lorsque vous l'avez découverte. Elle sera plus paisible.»

Après une bonne heure de persuasion avec douceur, cette jeune mère effrayée murmura: «Eh bien, peut-être que je vais aller juste jeter un coup d'œil…»

Maintenant, je devais convaincre le personnel de l'hôpital de la petite ville.

J'ai discuté de la situation au téléphone avec un administrateur, l'infirmière en chef et un travailleur social jusqu'à ce que, finalement, on me transfère au pathologiste. J'ai alors expliqué le scénario à un médecin choqué et très réticent. «Mais j'ai déjà effectué une autopsie sur ce bébé!» s'exclama-t-il.

«C'est correct. Cela veut simplement dire qu'elle a quelques points de suture. Nous pouvons affronter cela.»

«Mais je ne voudrais jamais voir *mon* enfant de cette façon!» Il était incrédule.

Je comprenais qu'il ne voudrait pas voir son enfant mort non plus, mais cette famille devait travailler autour de cette réalité.

Avec insistance, je lui ai parlé de mes propres fils, et comment nous les avons tenus dans nos bras pendant des heures. Je pouvais sentir qu'il commençait à fléchir.

«Bon, d'accord. Mais vous devrez venir également.

«Tout à fait! Je serai là.»

Nous avons stationné nos voitures et, en marchant vers l'entrée de l'hôpital, j'ai mentionné à Rhonda et Barry que les hommes et les femmes vivent leur deuil différemment. «Après la phase initiale, lorsque vous vous soutenez l'un et l'autre à merveille, les hommes ont tendance à ne pas trop vouloir en parler. Ils veulent poursuivre leur vie, mais ne croient pas qu'ils le pourront en pensant continuellement à leur enfant. Alors, ils mettent ça de côté. Les femmes, par contre, en parleront à toutes les personnes qui voudront bien les écouter et, parfois, même si ces personnes ne le veulent pas. Elles en parlent constamment, encore et encore, et guérissent de l'intérieur. Le problème, c'est que la maman pense que le papa n'a pas vraiment aimé l'enfant, car il ne semble pas s'en soucier. De son côté, le papa pense que sa partenaire est devenue folle parce qu'elle en parle sans cesse. En fait, si vous comprenez comment chacun de vous vit son deuil, votre couple s'en sortira intact. Rappelez-vous seulement que la maman doit trouver son soutien ailleurs pour un certain temps, probablement chez une autre femme. Mais vous devez être conscients que tous les deux vous aimez tout autant le bébé et qu'il vous manquera à tous les deux terriblement.»

Ils ont marché en silence.

Le pathologiste nous a accueillis lorsque nous sommes arrivés dans la pièce où se trouvait Sarah. Il était visiblement anxieux et apparemment nerveux que cette jeune femme puisse s'évanouir ou le poursuivre, ou peut-être même les deux. J'ai laissé Rhonda et Barry à l'entrée. «Je vais y aller en premier.»

J'ai regardé l'adorable bébé dans le moïse. Un bonnet recouvrait les points de suture sur sa tête et elle était enveloppée dans une couverture. J'ai remarqué la zone, sur son visage, où le sang avait afflué après sa mort. Je suis retournée vers le couple.

«Elle a quelques marbrures sur une joue, leur ai-je dit. Ça ressemble un peu à une ecchymose. Et vous remarquerez que ses lèvres ont un aspect différent – elles ne sont pas aussi pleines. Mais tout cela est normal.»

Rhonda chercha en elle et rassembla chaque parcelle de force qu'elle a pu y trouver. Elle s'avança dans la chambre comme un soldat à la guerre, le pathologiste la suivant de près. L'assistante infirmière prit la petite Sarah, et Rhonda étendit aussitôt les mains et étreignit sa fille.

Le médecin a retenu son souffle pendant que la mère de Sarah la regardait attentivement. Elle a ensuite levé ses yeux brillants d'émotion vers moi. «Je vous l'avais dit qu'elle était magnifique, n'est-ce pas?» lança-t-elle, le visage rayonnant. La colère, la peur et le dégoût avaient visiblement quitté la mère. La transformation était miraculeuse et le seul adjectif pouvant vraiment décrire Rhonda maintenant était «paisible».

J'ai laissé Rhonda et Barry seuls avec leur petite fille et j'ai marché dans le couloir avec le médecin. Il a hoché la tête en me regardant, a souri et est retourné à ses devoirs. Après un certain temps, Rhonda a réalisé que Barry avait besoin de passer un moment privé avec Sarah. Elle est venue me rejoindre en fermant la porte derrière elle.

En quittant l'hôpital, une Rhonda visiblement plus calme marchait avec nous. Elle a commencé à planifier les funérailles de son bébé, incluant même une période d'exposition avec le cercueil ouvert. Plus tard, lorsque Barry a soulevé son garçon de dix-huit mois pour qu'il voie sa petite sœur dans le cercueil, Mathew l'a pointée du doigt en s'écriant : « Bébé ! »

Et ce fut une maman courageuse et sereine qui s'est tenue devant l'assemblée et qui, d'une voix ferme, a lu un poème pour sa fille.

Rhonda et Barry ont mis un nouveau bébé au monde et l'ont appelée Kathreen. Son frère et elle sont énormément aimés et appréciés, d'une manière que seuls les parents qui ont perdu un enfant peuvent comprendre. Chaque moment, incluant les difficiles, a été vécu avec gratitude. Ils étaient reconnaissants de pouvoir s'occuper des cadeaux que sont leurs enfants.

Et comme si c'était le chemin de la vie, les événements entourant la mort de Sarah ont transformé ce qui pourrait être vu comme une tragédie en un enseignement extraordinaire d'espoir. Rhonda a commencé à animer des groupes de soutien pour parents endeuillés, accompagnant même certains d'entre eux lorsqu'ils allaient voir leur bébé décédé. En apprenant davantage sur le deuil, elle a commencé à entrevoir une corrélation entre la pauvreté et la mortalité infantile. Son parcours l'a finalement amenée à travailler pour un important groupe luttant contre la pauvreté en Colombie-Britannique.

L'impact de bébé Sarah sur le monde dans lequel elle a vécu si brièvement est profond. Même si je ne l'ai jamais rencontrée, Sarah a touché mon cœur à la manière d'une vieille âme sage. L'amour qu'elle a apporté sur cette Terre a grandi à son propre rythme et continue de se propager telle une douce vague de guérison aidant à nettoyer le chagrin.

C'est tout un accomplissement pour une personne si jeune.

Diane C. Nicholson

Être là

Connaissez-vous une personne
dont l'enfant précieux est décédé ?
Peut-être s'agit-il d'une voisine ou d'une amie
À qui vous pouvez vous confier.
Vous présumez qu'elle subit
Une tragédie si cruelle,
Qu'il n'y a rien que vous puissiez faire
Car elle ne fait que pleurer.
Vous pensez que si vous la rencontrez
Rien que vous ne puissiez dire
Pourrait faire revenir son précieux enfant
Ou faire disparaître sa douleur.
Et si, par hasard, vous la rencontrez
Et que vous devez faire face à son chagrin,
Vous ferez de votre mieux
Pour que cette rencontre soit brève.
Vous parlerez de la température
Ou de la dame dans la file,
Mais vous ne mentionnerez jamais son enfant –
Ce qui lui causerait trop de chagrin !
Et quand les funérailles seront terminées,
Et que tout aura été dit et fait,
Vous retournerez à votre famille,
Et elle sera seule.
Elle poursuivra sa route et se sentira mieux,
car le temps guérit –
Ou, du moins, c'est ce qu'il semble,

Alors qu'elle est laissée seule à recoller les morceaux
De sa vie et de ses rêves brisés.

– OU –

Vous pouvez ouvrir votre cœur
Et trouver cet endroit spécial
Où la compassion et le don véritable
Attendent votre étreinte.
«Aujourd'hui, je pense à toi
d'une façon très spéciale.»
Ou bien: «Je t'aime!»
Sont des choses aimantes à dire.
Parfois, une tâche très simple
Comme prendre le téléphone,
Peut l'aider à ne pas se sentir
Si désespérément seule.
Tout ce qui vient d'un cœur véritable
Ne peut être dit en vain
Car, en vérité, ce sont ces petites choses
Qui atténueront sa grande douleur.
Et lorsque vous la laissez parler
De son enfant décédé,
Vous savez que c'est beaucoup plus
Que tout ce que vous avez dit.
Alors, irez-vous vers elle avec toute votre âme
Pour lui montrer que vous vous souciez d'elle?
Car, somme toute, il n'y a pas de substitut
pour ÊTRE LÀ, simplement!

Debi L. Pettigrew

Une nouvelle force

Lorsque quelqu'un meurt, vous ne traversez pas cette épreuve en oubliant, vous la traversez en vous souvenant, et vous êtes conscient qu'une personne n'est jamais vraiment disparue ou partie une fois qu'elle a été dans votre vie et qu'elle vous a aimé autant que vous l'avez aimée.

Leslie Marmon Silko

«Qu'est-ce qui ne va pas, maman ?» Une à une, trois petites silhouettes entrèrent dans ma chambre, retrouvant leur chemin dans la noirceur vers le côté de mon lit. La sonnerie du téléphone et mes pleurs les ont tirés de leur sommeil, quelques minutes avant le lever du soleil.

«Maman est très triste en ce moment, a répondu leur père pour moi. Maman est triste parce que votre grand-père Bastien est décédé tôt ce matin.»

Les trois ont grimpé dans le lit et ont commencé à me cajoler, chacun tentant d'apaiser une douleur dont je les croyais trop jeunes pour comprendre. Trois paires d'yeux innocents me fixaient, impuissants, regardant les vagues peu familières du flux et du reflux de mon chagrin.

Ils n'ont pas connu leur grand-père comme je l'aurais espéré. Une distance de mille cent vingt kilomètres s'en est occupé. Leurs souvenirs de grand-papa Bastien ne se rattachaient qu'à ses visites à l'Action de grâce, à des appels téléphoniques interurbains et à des photos dans des albums. Ils ne connaissaient pas le grand homme fort que j'ai connu et tant aimé. Pour une fois, cependant, j'étais contente que leur petit cœur ait été épargné de l'avoir connu, car ils n'auraient pas à éprouver cette perte profonde.

Aucun d'eux ne m'avait jamais vue ou entendue pleurer si ouvertement. À travers mes pleurs, je les assurais que j'irais bien, mais il n'y avait aucune façon de leur expliquer mon chagrin. Il n'y avait aucune façon de dire à trois enfants âgés de quatre, six et huit ans, comment la vie de leur maman avait changé. En un instant, je suis passée de l'étape d'avoir un père à celle d'avoir des souvenirs. À ce moment-là, trente-quatre années de photos et de souvenirs semblaient bien modestes et insignifiantes.

Cela aurait été égoïste de mettre des mots sur mes larmes, de leur expliquer que je n'entendrais plus jamais sa voix, que je n'enverrais plus jamais de cartes pour la fête des Pères et que je ne pourrais plus jamais lui tenir la main. Non, je savais que ce serait une erreur de leur faire comprendre ce chagrin, alors j'ai retenu les mots et j'ai seulement libéré les larmes. Ils ont continué leur veille, assis sagement, me tapotant tendrement avec leurs petites mains.

Alors que la première lumière de l'aube filtrait à travers les lattes du store dans la chambre, ils ont commencé à parler doucement entre eux. Un à un, ils m'ont enlacée et embrassée. Un à un, ils ont sauté du lit et quitté la pièce.

Présumant qu'ils étaient partis jouer ou regarder des dessins animés, j'étais heureuse que mon chagrin n'ait pas touché leur innocence.

Je me sentais impuissante, malgré tout, en les regardant s'éloigner. En un seul coup de téléphone, j'avais traversé ce pont sinistre entre la vie de mon père et sa mort, et je ne savais pas comment revenir. Je ne savais pas comment j'apprendrais à rire, à jouer ou à être la mère dont mes enfants avaient besoin au cœur de cette douleur.

Après être restée au lit pendant ce qui me sembla une éternité, j'ai séché mes larmes et j'ai décidé d'aller leur expliquer ma tristesse d'une manière qu'ils pourraient comprendre.

Alors que je tentais encore de formuler les mots justes, ils sont entrés dans la chambre, chacun avec un regard entendu.

Ils ont murmuré à l'unisson: «Voilà, maman. Nous avons fait ça pour toi.»

J'ai pris le petit paquet de leurs mains fébriles et j'ai développé avec précaution un restant de papier d'emballage de Noël. À l'intérieur se trouvait une note écrite par mon enfant de huit ans: «À maman, nous t'aimons. Amour, Shae, Andrew et Annie.»

«Merci, ai-je répondu. C'est magnifique!»

«Non, maman, il faut que tu la retournes», m'a ordonné l'un d'eux.

J'ai tourné la note et, de l'autre côté, j'ai découvert un cadre en papier, décoré avec des lignes et des cœurs dessinés au crayon. À l'intérieur du cadre, il y avait une photo de mon père, exhibant son sourire satisfait, les mains croisées sur un ventre proéminent. Il s'agissait d'une de ses dernières bonnes photos que j'avais prises avant sa mort, avant que la maladie n'éteigne l'étincelle dans ses yeux.

Mon discours bien préparé a été écarté, et j'ai su qu'aucune explication ne serait nécessaire. Mes enfants comprenaient mes larmes, et leur cadeau, fait de leurs mains, m'a donné une nouvelle force.

En regardant la photo, des échos de souvenirs d'enfance sont revenus à la surface, comblant ainsi le vide. Oui, le chagrin a touché mes enfants, mais ils avaient leur propre façon d'y faire face. Dans leur innocence, ils m'ont appris que les choses que je croyais insuffisantes, les souvenirs et les photos, seraient les choses mêmes qui garderaient vivante la mémoire de mon père.

Kara L. Dutchover

Vous êtes surpris lorsque
vous constatez que vous allez réussir…
Il y a de ces talents que nous avons
tous et qui se présentent tout
simplement à notre porte.

Anonyme

La sagesse d'un enfant

Jamais la vie n'avait été aussi difficile. À titre d'officier de police expérimenté, exposé au stress constant dû à ma profession, la mort de ma partenaire de vie m'a asséné comme un coup terrible et m'a fait plonger dans une dépression. À vingt-huit ans, ma bien-aimée, Liz, a souffert d'une perforation du côlon suivant une complication de la maladie de Crohn et est décédée tragiquement après plusieurs interventions chirurgicales et six semaines atroces à l'unité des soins intensifs. Notre premier-né, notre garçon Seth, a célébré son quatrième anniversaire le jour suivant la mort de sa mère et, Morgan, notre plus jeune garçon, atteindrait ses trois ans exactement trois semaines plus tard.

Liz, qui était mère au foyer, excellait en cuisine, dans le ménage ainsi que dans toutes les tâches domestiques qui embellissaient notre vie. En tant que vrai policier macho et chauvin, j'avais tenu pour acquise sa générosité, n'ayant jamais le temps de prendre la responsabilité d'aucune de ces tâches. Par conséquent, en plein deuil, je me suis soudain retrouvé bien malgré moi dans le rôle de bonne à tout faire, responsable des courses, chauffeur, blanchisseur, gardien d'enfants professionnel, cuisinier et laveur de vaisselle. Nous avions déménagé dans une maison lourdement hypothéquée quelques semaines seulement avant sa mort, et notre situation financière était déjà précaire. J'ai vite réalisé que le travail de policier, avec ses quarts en rotation, nécessiterait une nounou à demeure, rognant encore davantage mon salaire déjà grevé. À mon grand désarroi, les demandes constantes d'attention de deux enfants d'âge préscolaire me laissaient épuisé et irrité, allant jusqu'à devenir contrarié par leur existence même.

Dans les jours qui ont suivi, la solitude et la douleur ont laissé place à la culpabilité, à la colère et, finalement, à l'apitoiement. Je me suis enfoncé toujours plus profondément dans le désespoir, et bientôt mon corps a commencé à manifester son désarroi intérieur. Malgré mes efforts pour dissimuler mon chagrin aux enfants, mes yeux sont devenus sombres et gonflés, mon poids a chuté et, à une occasion, les garçons m'ont regardé répandre du lait partout sur la table alors qu'une main tremblante contrecarrait mes efforts pour remplir un verre.

Bien que ce fût un moment que je redoutais, je savais qu'un jour j'aurais à accomplir la tâche de faire le tri des effets personnels de Liz, de nettoyer les placards et de mettre dans des boîtes ses vêtements et autres effets personnels. J'ai commencé un soir, après que les enfants eurent été couchés pour la nuit. Chaque robe, cette écharpe, cette paire de souliers, un à un, évoquait son trésor, sinon des souvenirs douloureux et des émotions de culpabilité accablante. Ce fut dans un petit repli au fond de son sac à main que j'ai trouvé, presque par hasard, un minuscule bout de papier jauni soigneusement plié. Ses pliures, serrées et nettes, attribuables au temps, protégeaient un message imprimé avec soin.

«Cher Kevin, commença-t-il, voici toutes les raisons pour lesquelles je t'aime...» Et en poursuivant ma lecture, les mots devenus obscurcis par mes larmes, mon cœur s'est serré et mon corps a été secoué de convulsions, de douloureux sanglots de solitude. Je venais de toucher le fond.

Lentement, dans cet effroyable brouillard de désespoir, j'ai pris conscience de deux petits bras entourant mes jambes alors que j'étais assis sur le bord du lit. Une petite voix, avec toute l'innocence de ses trois ans, m'a demandé: «Qu'est-ce qu'il y a, papa?»

Luttant en vain pour prendre une contenance, j'ai répondu: «Je me sens triste, Morgan, que maman soit partie au ciel, et que nous ne puissions pas la revoir pendant un très long moment.»

«Ne t'en fais pas, papa, nous allons t'aider. Lorsque nous nous lèverons le matin, Seth et moi, nous mettrons les boîtes de céréales sur la table et tout ce que tu auras à faire, c'est de faire les rôties.»

Avec ces quelques mots d'amour tout simples, mon enfant de trois ans m'a appris une leçon plus grande que toute autre. Ses pensées ont été la lumière du soleil filtrant dans le morne paysage hivernal de mon âme, et j'ai su à cet instant que la vie serait bonne.

Kevin D. Catton

Une lumière dans la nuit

Peu de temps après la mort de notre fils Adam, j'ai voulu faire quelque chose, laisser un souvenir public en sa mémoire. J'avais besoin que le monde sache que nous vivions un deuil profond de tout ce qu'Adam était et de tout ce qu'il aurait été. Je ne voulais surtout pas que quiconque oublie mon fils. Notre maison est nichée dans une clairière de la forêt et accessible seulement par une très longue allée. Les passants ne peuvent pas voir notre maison de la route. C'est ainsi qu'un jour de novembre venteux, à peine un mois après son décès, j'ai attaché pour notre Adam une grosse boucle blanche sur une branche en bordure de la route, au bout de notre allée. C'était un signe d'amour, d'espoir et de tristesse au-delà de toute compréhension.

Tout au long de l'année, alors que la boucle devenait effilochée et usée, je l'ai remplacée à plusieurs reprises et j'ai même réussi à faire pousser quelques fleurs blanches au pied de l'arbre. Peu parmi les autres choses que j'ai faites pour mon fils depuis sa mort ont eu une telle signification pour moi que cette boucle blanche qui en est venue à symboliser la vie et la mort d'Adam ainsi que notre deuil.

Juste avant de partir pour une réunion de famille chez ma mère le jour de Noël, je voulais, comme d'habitude, faire quelque chose de spécial pour Adam. J'ai fabriqué une lanterne avec un ange en or dessus. Mon mari, mon autre fils et moi avons placé la lanterne sous la boucle blanche dans le petit jardin de fleurs. Là, dans la brillance d'un clair et froid après-midi de Noël, nous avons allumé une chandelle pour notre Adam. Nous avons ajouté une seconde lanterne et allumé une autre chandelle en souvenir de tous les enfants qui sont décédés. Personne d'autre ne pouvait voir les chandelles brûler en cette belle journée ensoleillée, mais le fait de savoir qu'elles étaient là m'a apporté un sentiment de paix. L'année dernière, lors de notre premier Noël sans Adam, la journée avait été insupportable; son absence se faisait sentir partout. Cette année, tout l'après-midi pendant que j'étais chez ma mère, j'ai pensé à ces lanternes brûlant sur le bord de la route pour notre Adam et pour tous les enfants décédés. Je me suis sentie remontée et enveloppée par une sensation de chaleur que je n'avais pas ressentie auparavant.

Il devint évident que ces lanternes avaient également une grande importance pour mon mari et mon autre fils parce que, au cours de cette soirée, alors que nous nous préparions à quitter la résidence de ma mère, nous nous sommes chacun demandé de vive voix si les chandelles brûleraient encore une fois de retour à la maison. Tout au long de la journée, penser à ces lanternes nous a permis à chacun de supporter l'insupportable, et il semblait maintenant crucial qu'elles soient encore allumées lorsque nous arriverions à la maison. Mon mari, mon fils et moi AVIONS BESOIN de voir ce tout petit scintillement de lumière dans l'obscurité.

Le retour à la maison de chez ma mère, le soir de Noël, avait toujours été pour moi un moment de béatitude suprême : mes deux fils bordés de façon sécuritaire sur le siège arrière, et chacun de nous rempli de la joie et de l'émerveillement de la journée.

J'ai savouré ces moments et compté mes bénédictions. L'année dernière, notre premier Noël sans Adam, j'ai pleuré. Mais, cette année, j'étais concentrée sur les chandelles et tout ce qu'elles représentaient. Nous avons roulé en silence, chacun de nous perdu dans ses souvenirs personnels d'Adam ; chacun souhaitant que, d'une manière ou d'une autre, les chandelles brûlent encore.

Alors que nous approchions avec anxiété de notre entrée, nous nous sommes efforcés de distinguer une lueur dans l'obscurité de cette nuit de Noël. Et, OUI, les chandelles brûlaient toujours et tellement plus lumineuses que ce à quoi nous nous attendions ! Lorsque nous avons atteint notre allée, nos cœurs se sont emballés en voyant, sous la boucle blanche, dans un très petit jardin de fleurs en bordure de route, une troisième chandelle qui brûlait avec les deux nôtres.

La troisième chandelle avait été placée par deux personnes bienveillantes qui comprenaient sans aucun doute la nature vraiment profonde de leur acte de compassion. Des parents endeuillés, eux aussi, qui, par une froide et sombre nuit de Noël, sont venus chez nous pour remplir secrètement notre boîte aux lettres de petits cadeaux significatifs. Tous à être découverts un autre jour, à un autre moment.

Ce qu'ils ont laissé derrière eux était une promesse de lumière, peut-être juste une petite étincelle au début, mais une lumière néanmoins qui brûle toujours à travers les ténèbres de notre chagrin.

Nina A. Henry

THE FAMILY CIRCUS®, par Bil Keane

«Mon grand-père est en Floride.»
«Ce n'est rien. Le mien est au ciel.»

Reproduit avec l'autorisation de Bil Keane.

3

S'EN SORTIR ET GUÉRIR

Je dirais à ceux qui pleurent...
voyez chaque jour qui vient comme
un défi, comme un test de courage.
La douleur viendra par vagues, certains
jours seront pires que d'autres, sans
raison apparente. Acceptez la douleur.
Ne la faites pas disparaître.
Ne tentez jamais de cacher le chagrin.

Daphne du Maurier

Chagrin

En ce triste monde qu'est le nôtre,
Le chagrin vient à tous,
Et il vient souvent avec une cruelle souffrance.
Un véritable soulagement n'est pas possible,
Sauf avec le temps.
Vous ne pouvez pas croire en ce moment
Qu'un jour vous vous sentirez mieux.
Mais cela n'est pas vrai.
Il est certain que vous serez de nouveau heureux.
Savoir cela,
En le croyant vraiment
Vous rendra moins misérable en ce moment.
J'ai vécu assez d'expériences
Pour faire cette déclaration.

Abraham Lincoln

Amour et eau

Ma mère est décédée quelques jours seulement avant mon onzième anniversaire et mon destin a changé du tout au tout, passant de confortable à désœuvré. Du jour au lendemain, mon enfance a disparu. Quelques mois plus tard, papa a rencontré Dot au travail et a commencé à la voir régulièrement. Après une année, ils se sont mariés.

Tant de choses. Si rapidement. Une autre femme se déplaçant dans notre maison a remué de nouveau mes souvenirs encore frais de maman. Au même moment, Dot a hérité d'une progéniture de trois enfants, âgés de cinq, huit et onze ans.

Quand je me retrouvais seule, j'écoutais un vieil enregistrement de *You'll never walk alone* [Tu ne marcheras jamais seule] et j'étais convaincue que maman, de son monde, me chantait ces mots-là. Pourtant, dans mes moments de chagrin, je me demandais: *Comment peut-elle marcher avec moi maintenant?* Mon cœur d'enfant se languissait d'un contact maternel.

Un jour, mon père a demandé à Dot: «Veux-tu que les enfants t'appellent maman?» Quelque chose en moi espérait qu'elle dise «oui». Dot sembla troublée pendant un moment, puis elle répondit: «Non. Ce ne serait pas correct.»

J'ai ressenti le *non* comme une véritable gifle. *Le sang est plus épais que l'eau* était la litanie favorite de grand-mère. Je n'avais pas compris la véritable signification de cette phrase avant ce moment précis. La réponse de ma belle-mère semblait une preuve que le sang *était* plus épais, que je n'étais que le «bagage» de papa, une preuve que pour elle – malgré le fait qu'elle m'ait présentée en disant «ma fille» –, je ne l'étais *pas* biologiquement.

J'étais de l'*eau*. Alors, j'ai pris mes distances.

Mon attitude distante et boudeuse cachait un profond, très profond besoin d'être acceptée. Pourtant, peu importe à quel point j'étais devenue revêche, Dot ne m'a jamais blessée avec des mots durs. Durant cette période éprouvante, notre quête tranquille et déroutante en fut une d'harmonie.

Après tout, nous étions coincées l'une avec l'autre. Elle n'avait pas plus le choix que moi.

Je visitais la tombe de ma mère chaque fois que j'avais la chance d'aller parler de tout cela avec elle. Je n'ai jamais apporté de fleurs parce qu'il y avait toujours des arrangements floraux frais, amoureusement appuyés contre la pierre tombale, sans doute déposés là par papa.

Puis, au cours de ma quatorzième année, je suis revenue de l'école et j'ai rencontré mon frère nouveau-né, Michael. Je me suis penchée au-dessus de son berceau, et j'ai caressé doucement le velouté de sa peau pendant que de petits doigts minuscules attrapaient les miens et les tiraient vers sa bouche. J'ai alors ressenti une véritable émotion maternelle. Dot, encore dans sa robe de chambre d'hôpital, se tenait à mes côtés.

À ce moment, nos regards se sont fixés dans l'émerveillement. «Est-ce que je peux le tenir ?»

Elle l'a soulevé et placé dans mes bras.

En un battement de cœur, ce petit paquet nous a *soudées* ensemble.

«Tu aimes ton manteau neuf?» me demanda Dot ce Noël-là, alors que je retirais de sa boîte-cadeau un magnifique petit manteau court rouge piment et que je l'essayais par-dessus mon nouveau chandail de laine et ma jupe.

En quelques courts mois, Dot était devenue ma meilleure amie.

Un dimanche, à la maison de grand-maman, j'ai surpris Dot en train de dire à ma tante Annie Mary: «J'ai dit à James que je ne croyais pas que c'était correct de forcer les enfants à m'appeler maman. Irène sera toujours leur mère pour eux. C'est simplement juste.» C'était donc pour cette raison qu'elle avait dit «non».

Était-ce bien cela? *Le sang est plus épais que l'eau.* Ma grand-mère avait-elle raison? Était-ce toujours vrai en regard de la loyauté familiale? J'ai haussé les épaules avec inquiétude, me rappelant que, de toute façon, ça n'avait pas d'importance.

Au cours des années qui suivirent, Dot a considéré mon mari, Lee, comme son «fils», elle m'a apaisée durant mes trois accouchements, et a ensuite passé des semaines entières avec moi, voyant aux besoins de ma famille et les prenant en charge. À travers tous ces événements, elle a elle-même accouché trois fois, me donnant deux frères et une sœur. Nos enfants se sentaient vraiment privilégiés de grandir ensemble comme frères et sœurs et de partager des fêtes inoubliables.

En 1974, Lee et moi vivions à plus de 300 kilomètres de distance d'eux lorsque ma fille Angie, âgée de onze ans, a été tuée dans un tragique accident. À la tombée de la nuit, Dot était là, me serrant dans ses bras. Elle avait le cœur totalement brisé.

J'ai traversé sombrement les contrecoups des funérailles, désirant secrètement mourir. Chaque vendredi soir, je regardais sans enthousiasme la petite voiture de Dot entrer dans mon allée. «Papa ne peut pas venir, il doit travailler», lançait-elle. Après son travail, Dot conduisait quatre heures sans arrêt pour être avec moi chaque week-end, un périple qui s'est poursuivi pendant trois longs mois.

Durant ces visites, elle marchait avec moi au cimetière, tenait ma main et pleurait avec moi. Si je n'avais pas envie de parler, elle restait silencieuse. Si je parlais, elle écoutait. Elle était tellement *présente* que, lorsque je désespérais, elle portait à elle seule mon angoisse.

Bientôt, j'attendais à la porte les vendredis. Tranquillement, la vie s'est infiltrée de nouveau en moi.

En 1992, la mort subite de mon père dans un accident d'auto m'a totalement bouleversée, et je me suis retrouvée en état de choc, inconsolable. Ma première réaction a été que j'avais besoin de Dot – ma famille.

Puis, pour la première fois depuis mon adolescence, une peur froide, irrationnelle m'a anéantie avec la puissance de la dynamite. Papa, mon lien génétique, *était parti*. Avec les années, j'avais grandi tellement en sécurité avec l'alliance *Papa et Dot* que j'avais tout simplement tenu pour acquise la solidarité familiale. Maintenant, avec le départ précipité de papa, un gouffre sombre et effrayant a surgi.

Papa, me suis-je demandé, *était-il la colle? Est-ce que colle égalait génétique, après tout?*

Des pensées terrifiantes tournoyaient dans mon esprit alors que Lee me conduisait pour rejoindre des parents. *Vais-je perdre ma famille?* Cette possibilité m'a secouée jusque dans l'âme.

Le sang est plus épais que l'eau. Si grand-maman ressentait cela, Dot ne pouvait-elle pas le ressentir aussi de la même manière, juste un petit peu? Le petit enfant à l'intérieur de mon corps d'adulte gémissait et hurlait tristement. C'est dans cet état d'esprit que je suis entrée dans la maison de Dot après l'accident.

La maison de Dot. Non plus la maison de papa et Dot.

Est-ce que l'absence de papa va changer cette femme? Dot m'aimait, bien sûr, mais je me sentais soudain profondément dépouillée de mon ADN, la belle-fille du folklore. Une mer de visages familiers a déferlé dans le salon. Pourtant, debout au milieu de tous ces gens, je me sentais complètement seule.

«Suzie!» La voix de Dot a retenti dans la pièce à travers un brouillard, je l'ai regardée manœuvrer vers moi comme un marsouin. «Je suis tellement désolée à propos de papa, ma chérie», murmura-t-elle en me prenant dans ses bras.

La terreur s'est dispersée comme des corbeaux effrayés.

Ce qu'elle m'a dit ensuite m'a coupé le souffle. Elle m'a regardée dans les yeux et m'a dit avec douceur: «Il est avec ta mère maintenant.»

J'ai reniflé en contemplant son visage rempli de bonté. «Il plaçait toujours des fleurs sur la tombe de maman...» ai-je ajouté.

Elle a semblé perplexe, puis a souri tristement. «Non, ma chérie, ce n'est pas lui qui déposait les fleurs sur sa tombe.»

«Alors, qui...?

Pendant un long moment, elle a semblé mal à l'aise. Puis, elle m'a regardée droit dans les yeux. «C'est moi qui l'ai fait.»

«Toi? ai-je répondu, étonnée. Durant toutes ces années?» Elle a acquiescé et m'a prise de nouveau dans ses bras.

La vérité m'a assommée. *Le sang est fait en partie d'eau.* Grand-maman n'avait tout simplement pas compris.

Avec *l'amour* les mélangeant, vous ne pouvez pas distinguer l'un de l'autre.

J'ai récemment demandé à Dot: «Le temps n'est-il pas venu pour moi de t'appeler maman?»

Elle a souri et rougi. Puis, je crois avoir vu des larmes naître dans ses yeux.

«Sais-tu ce que je pense?» lui ai-je demandé en l'étreignant dans mes bras. «Je pense que maman nous regarde du haut du ciel et qu'elle se réjouit que tu aies si bien pris soin de nous, accomplissant tout ce qu'elle aurait fait si elle avait été là. Je crois qu'elle dit: *Vas-y, Suzie, appelle-la maman.*»

J'ai hésité, soudain incertaine. «Est-ce correct?»

D'une voix étranglée, elle a répondu: «Je considérerais cela comme un honneur.»

Les paroles de la chanson de maman étaient donc vraies: *Je ne marche pas seule.*

Maman marche avec moi.

Emily Sue Harvey

Garrit

Mon fils, Garrit, est décédé il y a dix-huit mois. Nous étions en safari au Botswana quand, un peu après minuit, une hyène tachetée l'a saisi et amené hors de sa tente, l'a traîné dans les buissons et l'a tué. Âgé de onze ans, il est mort rapidement, mais son petit corps a été laissé mutilé et déchiré.

Seulement quelques heures précédant sa mort, il m'écoutait lui faire la lecture, étendu sous ses couvertures. Lorsque je l'ai embrassé et lui ai dit bonsoir, il m'a remerciée de l'avoir amené au Botswana et il a ajouté: «J'ai tellement hâte à demain.» S'il n'avait pas été tué cette nuit-là, nous aurions passé la journée suivante ensemble, à regarder des troupeaux d'hippopotames, ces animaux qui n'ont jamais manqué d'amener un sourire sur les lèvres de Garrit. Mon fils était plus précieux pour moi que quiconque ou quoi que ce soit d'autre que j'ai jamais connu. Ces derniers mots: «J'ai tellement hâte à demain», sont gravés dans mon esprit, autant que l'odeur et la présence de mon fils resteront toujours une partie de moi. En même temps, la mort de Garrit a transformé ma vie en un lieu désert, une place marquée par le choc et l'incrédulité, un paysage aride et sans vie – méconnaissable et incompréhensible. Je me sentais comme si, moi aussi, j'avais été déchirée à l'intérieur.

Car on ne s'attend pas à ce que nos enfants meurent. Cela ne s'insère pas dans l'ordre naturel des choses. Ne les protégeons-nous pas instinctivement de la maladie et du danger dès leur naissance? Ne sont-ils pas supposés nous survivre? La mort d'un jeune enfant est pratiquement impensable pour un parent. Cela défie presque la logique. Lorsque ça arrive, vous continuez d'exister, bien que le fait de marcher sur le terrain de la simple existence puisse être effrayant. Un gouffre sombre se dessine droit devant. Vous hésitez, vous demandant si les eaux à l'intérieur vont vous avaler. Et pourtant, encore et encore, vous êtes attiré vers le précipice. Parce que vous entendez le murmure de quelques vagues promesses d'espoir s'élever des profondeurs.

Des questions me hantaient jour et nuit. *Comment cela a-t-il pu arriver? Pourquoi est-ce arrivé? Qui est à blâmer? Pourquoi la hyène ne m'a-t-elle pas prise à la place? Est-ce que Garrit a souffert? Où est-il maintenant? Est-il bien? Le reverrai-je un jour? Les réponses sont en Afrique,* ai-je pensé, *pas aux États-Unis.*

Séjournant au Botswana pendant presque quatre mois, j'ai contacté des experts en hyènes, la police, les responsables de la faune qui enquêtaient sur la mort de Garrit, l'équipe de sauvetage d'urgence, les médecins qui ont examiné le corps, les opérateurs locaux de safaris et les autres personnes qui auraient pu être en mesure de répondre à quelques-unes de mes questions. Bien que ma recherche de réponses ait été fructueuse, j'étais vaguement consciente qu'il s'agissait aussi d'un moyen de me distraire, de ne pas regarder bien en face l'énormité de ma perte. Encore trop sensible pour me permettre de ressentir la douleur, je ne pouvais que la fuir.

J'ai lu suffisamment pour savoir que les distractions et la fuite ne sont pas les ordonnances typiques pour se guérir de son chagrin. Néanmoins, j'ai plutôt suivi mon impulsion. En rétrospective, j'étais encore paralysée par le choc. J'ai dérivé vers le sinistre état du survivant d'un traumatisme, soit le détachement temporaire. Mon instinct de survie me poussait à éviter les conséquences potentiellement dramatiques du chagrin tant et aussi longtemps que j'en aurais besoin.

Même si se tenir occupé tient habituellement la douleur à distance, parfois elle s'écoule d'elle-même à l'extérieur de soi. Des rires d'enfants et la vue de garçons de l'âge de Garrit jouant au football m'étaient intolérables. Faire l'épicerie était une épreuve: mes yeux se rivaient sur les crèmes glacées, les poudings et les gâteries que j'achetais habituellement à Garrit; chaque allée comportait des aliments qui me rappelaient son absence. Ça prenait de l'endurance morale pour entrer dans les centres commerciaux: les costumes d'Halloween exposés, les livres que Garrit avait aimés et les T-shirts de sa grandeur me confrontaient comme des apparitions de fantômes.

Je me suis entraînée à ignorer les girafes, les éléphants et les phacochères buvant dans le point d'eau en face du pavillon dans la région sauvage où je demeurais. Je remarquais à peine les autruches aux longues pattes se poursuivant en cercle les unes et les autres, battant des ailes comme des caractères de bandes dessinées. La vue de ces créatures nous avait enchantés, Garrit et moi. Captivés, nous les observions pendant des heures. Maintenant, je leur tournais le dos.

N'eût été de la compassion et de la sagesse des autres, j'aurais pu finir par devenir un être humain à la coquille fragile, ma tristesse bien enfermée à l'intérieur, ma capacité pour la joie n'étant plus qu'un frêle souvenir.

Une amie qui m'a invitée à passer une semaine avec elle dans l'arrière-pays a été assez perspicace pour me laisser seule. Remplie de gratitude, j'ai respiré dans la douceur de la rivière et le son des aigles pêcheurs planant dans le ciel comme des avions miniatures, puis plongeant dans les profondeurs à travers des bosquets de papyrus pour attraper leur proie.

Un pilote d'hélicoptère habitué d'avoir à bord des passagers photographes du *National Geographic* m'a conduite, pour un prix minime, à l'endroit où Garrit a été tué. Discrètement, il a attendu à distance jusqu'à ce que je sois prête à partir. Durant notre vol de retour, il m'a raconté que des années plus tôt il avait été témoin de la mort de sa fiancée lors de l'écrasement de son hélicoptère. Il ne semblait pas embarrassé par le sujet de la mort. Cependant, aucun autre mot n'a été nécessaire. Il a compris que j'avais besoin de tenir dans mes mains la terre où mon fils avait connu son dernier souffle.

La jeune femme indienne qui tenait un des cafés Internet au Botswana et qui me permettait de rester après les heures de fermeture avait perdu son fils de huit ans aux mains d'une maladie que les médecins avaient mal diagnostiquée. Elle m'a dit que sa vie n'avait plus jamais été la même. «Neuf années se sont écoulées, m'a-t-elle raconté, mais je le pleure encore. La douleur diminue, mais vous vivez pour toujours avec la perte.»

La plupart des gens ne s'éloignaient pas de moi, ni ne tentaient de me consoler avec des phrases insipides considérées comme des expressions de sympathie dans nos cultures occidentales: «Votre fils est en paix. Dieu prend soin de lui. Le temps guérit. C'est le temps de reprendre votre vie.»

Même les guérisseurs et les Bochimans que j'ai contactés pour obtenir des réponses aux questions les plus existentielles qui me préoccupaient ont été courageusement directs et humains. «Pourquoi un événement si terrible est-il survenu?» leur ai-je demandé. «C'était son destin», ont-ils répondu. Lorsque je sondais davantage, leurs réponses variaient du déconcertant au merveilleux. Les aînés bochimans estimaient qu'une certaine antipathie avait été involontairement détournée vers Garrit et l'avait ensorcelé. Un réflexologue, considéré comme un médium, a cru que Garrit était un des «enfants indigos» qui reviendrait sur la terre pendant le prochain cataclysme mondial pour assurer la survie des peuples et des cultures traditionnelles. Même si j'étais sceptique devant des explications aussi concrètes, la possibilité que Garrit ait été destiné à mourir pour quelque chose a ouvert mon esprit à la perspective qu'il puisse y avoir un sens à ce qui semblait être une mort insensée.

Les guérisseurs me recommandaient invariablement d'affronter ma douleur. «Chaque jour, sentez votre cœur brisé, m'a conseillé l'un d'eux. Alors seulement vous commencerez à guérir.» Un Bochiman, plaçant ses mains sur mon cœur, m'a dit que je n'avais pas fini de pleurer. «Vous êtes dans la douleur. Votre fils est inquiet à votre sujet. Vous devez pleurer maintenant et ensuite arrêter. De cette façon, vous pourrez aider votre fils.» Un homme blanc qui avait grandi au Botswana, qui possédait un alliage de sagesse de la brousse et de connaissances occidentales, a jeté un seul coup d'œil sur moi et a dit: «Votre cœur a besoin de pleurer davantage, de s'adoucir et de ressentir la tristesse. Pleurez autant que vous en aurez besoin.»

Intellectuellement, je comprenais le message. Si j'ouvrais mon cœur et je me laissais aller à ressentir la douleur que je fuyais, un processus de guérison commencerait qui, en retour, pourrait aider Garrit. En rétrospective, cependant, je réalise que je n'étais pas prête à accepter la sagesse derrière les mots. Quelques mois seulement après mon retour à la maison, je réaliserais que les semences de la guérison se trouvaient en moi. Que ce serait à moi de décider si ces graines allaient rester en dormance ou germer.

J'étais ambivalente à l'idée de retourner chez moi, à Baltimore, parce que je sentais que l'esprit de Garrit vivait au Botswana. Revenir à la maison signifiait abandonner mon enfant. Cela voulait aussi dire affronter la myriade de fragments de son enfance qu'il avait laissés derrière lui – sa ménagerie de chats, de chiens, d'émeus et d'oiseaux en peluche; les balançoires derrière la maison; ses balles de football; ses bâtons de hockey; ses vieilles baskets; ses lettres pour la fête des Mères qu'il avait écrites au fil des ans; ses livres sur l'Afrique et la faune que nous avions collectionnés; la nouvelle chambre que j'avais fait construire pour lui quand nous étions absents et dans laquelle il n'a jamais couché; la radio qu'il cachait sous son oreiller pour l'écouter en secret après nous être dit «bonne nuit».

Malgré mon appréhension, je devais retourner à la maison, ne serait-ce que temporairement. Je ne pouvais plus prétendre que les comptes de banque que j'avais vidés durant les mois suivant la mort de Garrit se renouvelleraient d'eux-mêmes. De plus, les *flash-back* qui me hantaient jour et nuit nécessitaient une attention professionnelle impossible à obtenir au Botswana.

Maintenant, après être revenue aux États-Unis depuis quatorze mois, j'aimerais vous dire que certaines des solutions à l'emporte-pièce pour le deuil ont agi comme un baume magique. Je voudrais vous dire que l'abîme de souffrance devant moi n'était qu'un mirage. Je souhaiterais que ce soit aussi simple. Mais l'âme en deuil ne guérit pas aussi facilement.

Mon retour à la maison s'est transformé en une descente rapide aux enfers. Le caractère familier de mon environnement a seulement aiguisé davantage ma conscience de l'absence de Garrit. Incomplète sans lui, j'avais perdu une partie vitale de mon identité. Brouillée avec le père de Garrit depuis notre divorce des années plus tôt, et avec peu de famille sur laquelle compter pour obtenir du soutien émotionnel, je me suis réfugiée dans l'isolement virtuel. Il n'y avait qu'une poignée d'amies que je voyais et un psychiatre spécialisé dans le syndrome de stress post-traumatique. Étrangère à moi-même, je me sentais mal à l'aise en présence de la plupart des gens, comme je suppose qu'ils devaient se sentir aussi en ma présence.

J'ai fermé les rideaux et je suis restée au lit pendant plus d'un mois, me levant deux fois par semaine pour ma thérapie. Les jours et les nuits se fusionnaient les uns dans les autres; le temps était devenu sans importance. J'ai cessé de répondre au téléphone, de prendre mon bain et j'ai commencé à avaler plus de pilules et d'alcool que de nourriture. Alternant entre dormir et pleurer, mes yeux sont disparus derrière des poches de chair gonflée. Ma force et mes ressources intérieures se flétrissaient. Quand j'ai cru que mon corps se coupait de la vie, j'en suis venue à me ficher de vivre ou de mourir.

J'attendais que le destin se manifeste et qu'il décide de ma vie. Il s'est présenté à ma porte sous la forme de deux policiers avec des papiers de mon psychiatre, stipulant que je n'étais plus en mesure de prendre soin de moi-même. Les policiers m'ont menottée parce que je résistais et m'ont tirée hors du lit pour ensuite me conduire à la salle d'urgence d'un hôpital de troisième ordre. Pendant vingt-quatre heures, ne portant rien d'autre qu'une légère jaquette d'hôpital, je suis restée étendue et immobile dans le lit étroit d'une chambre sans fenêtre de la grandeur d'un placard. Je me sentais comme une spectatrice regardant m'éteindre alors que j'observais mon esprit qui traversait mes pores comme l'air s'échappant doucement d'un ballon usé.

Soudainement, j'ai réalisé que ce n'était pas mon destin de mourir ainsi. Mon heure n'était pas encore arrivée. J'étais allée en enfer et j'avais survécu. J'étais en vie pour une raison, un but qui, je le sentais, était interrelié à la mort de Garrit.

Lorsque j'ai quitté l'hôpital pour retourner dans le monde, je me suis enfin sentie prête à trouver un moyen de vivre avec toute la souffrance qui m'habitait. Quelque temps après, j'ai quitté Baltimore, puis traversé le pays pour aller m'installer à Santa Fe. Là, j'ai commencé à rebâtir les parties de moi les plus endommagées par la mort de Garrit et à éliminer tout ce qui semblait superflu ou faux dans ma vie. Dès le moment où j'ai commencé à me sentir plus entière à certains niveaux profonds, la fragilité qui, depuis la mort de Garrit, s'était installée autour de mon cœur a semblé s'atténuer graduellement, comme si elle se préparait à se dissiper.

Le processus visant à réorganiser ma vie va probablement prendre des années. Par moments, je le ressens comme une renaissance douloureuse, néanmoins une renaissance nécessaire si je veux faire davantage que simplement exister. Même si j'ai pris la décision consciente de vivre, je me suis demandé ce qui m'empêcherait de sombrer de nouveau. J'ai réalisé qu'avec la volonté de vivre s'est manifesté quelque chose qui rend l'insupportable plus supportable. Difficile à nommer, je pense à cette chose comme au chuchotement d'une promesse allié à la grâce. Lorsque la douleur menace de me tirer vers les bas-fonds, ce chuchotement me garde la tête hors de l'eau, allégeant le poids de ma douleur, m'honorant d'un nouveau sentiment de compassion pour moi-même et les autres.

Ma vie a irrévocablement changé. Je ne serai plus jamais la personne que j'étais. Même si je ne sais pas ce que je deviendrai ou à quel endroit mon parcours m'amènera ultimement, la mort déchirante de mon fils restera toujours une profonde partie de moi-même. Cependant, en même temps, la capacité de ressentir de nouveau la joie germe en moi ; les plaisirs simples que je tenais pour acquis ont pris une nouvelle valeur. Ce mélange paradoxal de tristesse et de promesse semble être la nature du processus de mon deuil et de ma renaissance graduelle.

Maintenant, même si l'hiver règne au Botswana, le printemps est là, reverdissant le paysage. Des enfants jouent dehors, heureux avec eux-mêmes. Les crocus et les jonquilles explosent de couleurs. Avec une telle abondance de renaissance dans l'air, il semble cruel que Garrit ne puisse pas revenir à la vie. Il y a des moments où je voudrais piétiner les fleurs, détruire chaque bouton et prétendre que les enfants des autres n'existent pas.

Et pourtant, précisément aujourd'hui, je me suis retrouvée devant un garçon de la grandeur et de l'âge

Le jardin d'Ashley

«Maman, serais-tu triste si je mourais?» Ces mots troublants sont sortis rapidement de la bouche d'une enfant de quatre ans, Ashley, prenant sa mère Kathleen Treanor par surprise.

«Bien sûr que je le serais, Ashley. Tu me manquerais terriblement.»

«Mais ne sois pas triste, maman. Je serai un ange qui veille sur toi.»

Avec un clin d'œil et une promesse de rester près d'elle, des rires enfantins ont bientôt rempli l'air. Oui, tout était revenu à la normale, sans reparler davantage d'enfants de quatre ans allant au ciel avant leur temps.

Quelques jours plus tard, Kathleen déposa Ashley à la maison de grand-maman LaRue. Grand-maman était une merveilleuse gardienne dont la maison débordait d'amour, de réconfort et de joie. Sans aucun doute, les bricolages et les biscuits faits maison seraient bientôt en préparation.

Après avoir embrassé tendrement Ashley et lui avoir dit au revoir, Kathleen sauta dans sa voiture et se précipita vers son lieu de travail. Elle était à peine arrivée et installée confortablement sur sa chaise avec une tasse de café fumant fraîchement moulu quand elle l'a entendue. Une énorme explosion a secoué toute la ville d'Oklahoma et, tout aussi rapidement, a détruit son monde.

Confuse et incertaine de ce qui venait de se produire, une collègue a allumé la télévision. Tout le monde dans le bureau était dans un état de choc révérencieux alors que la nouvelle commençait à être rapportée. Il y avait eu une énorme explosion à l'édifice fédéral Murrah. Kathleen pouvait à peine en croire ses yeux. *Pas dans ma ville natale ! Pas ici !* pensa-t-elle. Bientôt, de jeunes mères couraient çà et là, recherchant désespérément leurs enfants. Kathleen fut horrifiée de découvrir qu'il y avait une garderie dans le bâtiment. *Mon Dieu, les enfants,* pensa-t-elle en commençant à prier pour les familles désespérées.

À peine quelques instants plus tard, sa sœur téléphona pour rapporter une inimaginable nouvelle, anéantissant la dernière parcelle protectrice de paix de Kathleen. Luther et LaRue Treanor avaient emmené Ashley à leur rendez-vous au bureau de la sécurité sociale, qui se trouvait à l'intérieur de l'édifice Murrah. Soudain, la pièce a commencé à tourner. Des bourdonnements surréalistes ont envahi les oreilles de Kathleen. Ashley se trouvait dans cet édifice dévasté – celui que l'on montrait aux nouvelles !

Il a fallu des jours avant de découvrir toute l'étendue de leurs pertes. Mais lentement les détails sont arrivés. Sa belle-mère et son beau-père, ainsi qu'Ashley, ont été trouvés parmi les morts. Immédiatement, Kathleen s'est enfoncée dans une sombre et profonde dépression, incapable de comprendre comment des esprits malveillants pouvaient changer le destin de tant d'êtres innocents.

Des mois plus tard, Kathleen se rappela une prière qu'elle avait prononcée quelques jours avant l'attentat, suppliant Dieu de lui envoyer un message d'espoir à partager avec le monde en souffrance. Soudain, son esprit s'est rappelé les mots d'Ashley juste avant l'explosion: «Ne sois pas triste si je meurs. Je serai un ange qui veille sur toi.» Kathleen a alors réalisé qu'elle avait été préparée pour une mission qui allait bien au-delà de sa compréhension.

En signe de gratitude pour la paix que seul Dieu peut offrir, elle a érigé un monument commémoratif à sa fille. Aujourd'hui, le *Jardin d'Ashley* est embelli d'un gracieux saule pleureur, d'une fontaine, et d'une abondance de fleurs éclatantes et épanouies. Pour toute personne qui le voit, le message est clair. La vie continue. La joie suit le chagrin. La lumière émerge de la noirceur.

Grâce à cinq années d'écriture de journaux personnels et de prières sans fin, le rêve de Kathleen de voir l'héritage de sa fille partagé dans les pages d'un livre, *Le Jardin d'Ashley*, a finalement vu le jour, et sa prière pour obtenir un ministère de guérison est allée bien au-delà de ses rêves.

Lorsque Kathleen s'est réveillée le matin du 11 septembre 2001, de même que le reste du monde, elle a figé d'incrédulité. L'Amérique, encore une fois, avait été frappée par le fléau du terrorisme. À ce moment-là, elle a su que ses mots d'espoirs et de guérison iraient bien au-delà des frontières de l'Oklahoma. Ils l'amèneraient maintenant dans la ville de New York.

Ainsi, en compagnie de survivants et de familles des victimes, elle a embarqué dans un avion et a volé vers sa destinée. C'est là qu'elle a vu l'accomplissement ultime de ses prières en accompagnant, une à une, des personnes en deuil à Ground Zero, pour entreprendre le long mais essentiel processus de guérison. En rencontrant des gens de l'Oklahoma, ceux de New York ont été en mesure de voir de première main que le temps et la foi guérissent toutes les blessures.

Personne ne sait ce que le futur réserve, mais pour l'instant, Kathleen est en mission, tendant la main aux êtres blessés, souffrants, et à toutes les personnes en deuil avec un inspirant message d'espoir né de la prière.

Et là-bas, en Oklahoma, le Jardin d'Ashley continue de fleurir.

Candy Chand

Deux réponses à une prière

Tout comme moi, Steve Wilson est un présentateur de causeries sur l'humour. Lorsque je l'ai interviewé, Wilson m'a parlé d'un incident qui lui est arrivé, rattaché à l'humour et au chagrin.

«Je sortais toujours, m'a-t-il dit, pour parler à des groupes communautaires sur divers thèmes psychologiques classiques – comme le mariage, le divorce, élever des enfants, le stress, la dépression et autres choses du genre. Un jour, j'ai reçu un appel d'une femme d'une clinique de cancérologie qui animait un groupe nommé *Pour que cette journée compte*. Elle avait appris que je donnais des causeries et m'a demandé si je pouvais venir pour m'adresser à ces gens. Je lui ai répondu que j'avais une nouvelle causerie sur l'humour. *Ce serait merveilleux*, a-t-elle ajouté. *Je pense que le groupe aimerait beaucoup cela.*»

Wilson était enthousiaste de présenter cette causerie. Sa mère était décédée d'un cancer de l'ovaire lorsqu'il avait vingt ans, et il a pensé que ce serait merveilleux s'il pouvait apporter une aide quelconque à ces gens.

Ce soir-là, il y avait environ trente-cinq personnes assises en cercle. Pour commencer la réunion, chacune d'elles a mentionné son nom au groupe, le cancer qu'elle avait et le stade du traitement.

La première personne s'est avancée: «Je suis Susan. J'ai une tumeur au cerveau. Les médecins ont été capables de l'opérer et, maintenant, je suis en traitement de radiothérapie.» Puis, les parents de Susan se sont présentés. Ensuite, un jeune homme, également accompagné de ses parents, a annoncé qu'il avait un lymphome.

«J'ai soudain pris conscience de la gravité de la situation de ces personnes, et il y en avait une salle pleine», a admis Wilson. Alors que chacun parlait à tour de rôle, Wilson a commencé à ne pas se sentir à la hauteur et à se questionner à savoir si c'était approprié de parler d'humour dans de telles circonstances. «Il y avait là des gens avec des maladies catastrophiques dans leur vie. Je me suis inquiété de la pertinence de mon programme.»

Pour calmer ses peurs, Wilson a récité une prière: «Seigneur, si c'est ici que tu veux que je sois et qu'il y a quelque chose dans ce message que tu désires que les gens entendent, alors j'espère que c'est la bonne chose et que tu vas m'aider dans ce que je vais dire.»

La réponse à cette prière est arrivée de deux manières.

Tout d'abord, un homme s'est présenté au groupe: «Mon nom est Lester et je suis en rogne. J'ai le cancer du foie. Mon médecin m'a annoncé qu'il me restait six mois à vivre. C'était il y a un an de ça – et j'ai donné mon manteau d'hiver.»

Lorsque tout le monde s'est mis à rire dans l'assistance, ce fut la confirmation pour Wilson que le groupe voulait rire et qu'une personne vivant une situation grave pouvait effectivement se moquer d'elle-même.

Sachant maintenant que l'humour était vraiment approprié, Wilson a commencé sa causerie. Il a raconté des blagues, utilisé des accessoires et expliqué la valeur de l'humour. Les choses allaient bien. L'auditoire riait de bon cœur et appréciait vraiment ce que Wilson accomplissait.

Puis, quelqu'un a frappé à la porte. Une femme a ouvert et a passé la tête dans l'embrasure de la porte. « Écoutez, j'essaie d'animer un groupe de soutien dans la salle voisine… » a-t-elle dit. Wilson s'est dit en lui-même : *OK, me voilà maintenant dans le pétrin.* Mais la femme a poursuivi : « et mon groupe aimerait venir et se joindre au vôtre. »

Ce n'est qu'après la causerie que Wilson a découvert que l'autre assemblée était un groupe de soutien pour les personnes qui venaient de perdre récemment un être cher.

C'était la seconde réponse à sa prière. « Les gens qui s'étaient réunis pour se soutenir les uns les autres dans leur peine, a dit Wilson, voulaient être là où le rire se trouvait. »

Allen Klein, M.A., C.S.P.

Mon chagrin est comme une rivière

Mon chagrin est comme une rivière –
Je dois le laisser couler,
Mais c'est moi qui détermine
Quand atteindre les rives.

Certains jours, le courant m'emporte
Dans des vagues de culpabilité et de souffrance,
Mais il y a toujours un plan d'eau calme
Où je peux de nouveau me reposer.

Je me fracasse contre les rochers de la colère –
En fait, ma foi semble fidèle,
Mais il y a d'autres nageurs
Qui savent ce dont j'ai besoin.

Ce sont des mains aimantes qui me portent
Lorsque les eaux sont trop rapides,
Et quelqu'un de gentil pour écouter
Quand je semble aller à la dérive.

La rivière de chagrin est un processus
D'abandonner le passé.
En nageant dans les canaux de l'espoir
Je vais enfin atteindre la rive.

Cynthia G. Kelly
Reproduit du magazine
Bereavement *de janvier 1988*

L'héritage d'amour

Notre fils Jarod a mis fin à ses jours le 29 novembre 1999. Avec sa mort, notre vie a changé à tout jamais. Ce qui a suivi cette perte tragique a été un parcours incroyablement difficile, alors que notre famille plongeait dans un gouffre sans fin de chagrin.

Nous n'avions aucune idée jusque-là de ce qu'était vraiment la douleur du deuil et comment ce chemin pouvait être difficile à traverser. Au début, c'était pénible de simplement passer une journée; nous étions quatre personnes en deuil à des niveaux différents. Notre maison était dans un chaos total. Nous ne savions pas comment nous aider mutuellement parce que nous étions tellement absorbés par notre propre douleur, ne prenant pas conscience que, en tant que famille, ce processus serait continu pour le reste de nos jours!

Au début, nous étions comme suspendus dans le temps. La situation était incroyablement accablante. C'était extrêmement difficile aussi de nous concentrer sur les détails les plus simples, nos pensées étant constamment centrées sur notre perte.

Le temps passant, nous avons découvert que les périodes d'immense tristesse duraient moins longtemps et qu'elles étaient plus espacées. Nous apprenions à faire face au vide que la mort de Jarod a laissé dans notre vie.

Souvent, le stigmate du suicide repose lourdement sur ceux qui restent. Qui sommes-nous pour juger? Nous croyons que notre réaction, en tant que société, doit en être une d'amour et non de jugement. Est-il juste que tous les actes de bonté de notre fils et les bonnes impressions qu'il a laissées soient oubliés et effacés par son geste tragique et définitif? Cela est terriblement triste. Jarod était un jeune homme aimant et d'une grande bonté. Il n'y a eu aucun signe avertisseur, ce qui a entraîné un anéantissement total pour sa famille et la communauté. Jarod était un étudiant de première année à l'université. Il travaillait à temps partiel et était actif au sein de la communauté comme entraîneur des équipes de baseball et de soccer de son frère. Il était respecté et aimé autant des jeunes que des plus vieux. Nous nous sommes donc demandé: *Qu'est-ce qui s'est passé?* Étions-nous trop occupés à l'aimer (et lui à nous aimer), pour ne voir aucun signe d'avertissement? Aucun signe extérieur. Il a tenté de nous protéger même jusqu'à la toute fin.

Nous sommes éternellement reconnaissants d'avoir eu la chance d'être ses parents. Nous ne portons pas la honte du suicide de Jarod. Nous sommes extrêmement fiers de la personne qu'il était alors qu'il vivait avec nous sur Terre.

Nous savons que viendra le jour où les moments de joie partagés avec lui éclipseront la douleur de la brièveté du temps qu'il a passé avec nous et de l'injustice apparente de sa mort. Nous croyons que la vie est un cadeau et que, peu importe le temps qui nous est alloué, si court puisse-t-il être, il doit être utilisé pour enrichir la vie des autres. Des événements se produisent tout au long de notre vie, et ce, pour aucune raison apparente – certains diront que c'est le destin. Nous avons simplement besoin d'avoir la foi, et non de savoir pourquoi, pour en arriver à l'acceptation. Nous croyons qu'il y a des forces qui nous amènent à être là dans un but particulier. Cependant, il nous arrive parfois de choisir une voie différente, comme en témoigne la décision tragique de notre fils.

Le temps de Jarod avec nous a été bref mais très éloquent, puisqu'il a laissé une impression positive et durable sur toutes les personnes qui l'ont côtoyé. Il rayonnait joyeusement et intensément, et par conséquent il a épuisé sa lumière plus rapidement que les autres. Il était convaincu que nous allions comprendre, et cela s'est avéré vrai à plusieurs niveaux. Nous nous sommes concentrés non pas sur son choix de mettre fin à ses jours, mais plutôt sur l'incroyable influence positive qu'il a eue sur la vie de tous ceux qu'il touchait. Il est aussi très important pour nous de rester centrés sur le fait que Jarod vivra pour toujours dans notre cœur. Nous pressentons qu'Adam et Lori auront beaucoup de difficulté à affronter la perte de leur frère. À leurs yeux, c'est comme si Jarod avait choisi de les abandonner, et cela est très difficile à comprendre. Un parent a d'abord acquis une perspective très différente de la vie, ayant été le géniteur et ayant eu à accepter, dès le début, que ses enfants sont des êtres mortels. Pour nous, il y a eu une époque sans Jarod, avant sa naissance. Mais pour Adam et Lori, il n'y a jamais eu d'époque sans lui, jusqu'à maintenant. Dans la tête d'un enfant, les frères et sœurs plus âgés, ainsi que les parents, semblent tellement éternels. Quel réveil brutal de découvrir qu'ils ne le sont pas !

Notre amie, Holly, qui a également perdu son fils par le suicide, nous a parlé de son désir de créer une courtepointe avec les vêtements de son garçon. Inspirés par cette idée, nous avons ressenti à notre tour le désir d'en faire une après avoir fait le tri des vêtements de Jarod. Ce fut extrêmement difficile de les rapporter à la maison. En touchant et en sentant ses vêtements, nous avons versé des larmes de tristesse et de joie, car chaque pièce nous renvoyait des souvenirs de Jarod.

Nous savions qu'il serait très facile de rester enfoncés dans le chagrin, mais assembler cette courtepointe s'est révélé le premier pas pour traverser notre processus de deuil. Nous avons donc mis notre chagrin à contribution d'une manière positive, dans l'espoir d'inspirer d'autres personnes qui ont également souffert d'une perte horrible. Cousus ensemble, le chagrin, la guérison et le souvenir sont devenus la courtepointe qui représente notre « Héritage d'amour ».

Sur une période d'environ cinq mois, nous avons cousu les pièces de la vie de Jarod pour confectionner une magnifique œuvre d'art – une courtepointe en sa mémoire. Ce projet est devenu un baume qui nous a aidés à apaiser notre deuil. À chaque point de couture, l'horrible crevasse s'est graduellement refermée, atténuant le choc, l'incrédulité et la douleur. Notre courtepointe est bien différente des pièces traditionnelles fabriquées à la main. Chaque carreau est une représentation unique d'une facette différente de la vie de Jarod. Chaque point se présente comme un hommage à un jeune homme exceptionnel au sourire facile et avec une passion pour toute activité dans laquelle il s'impliquait.

Pendant des mois, je me suis installée à ma machine pour couper, assembler et coudre. Alors que des membres de notre famille observaient ce processus, ils ont décidé de créer leurs propres carreaux personnels. Le père de Jarod, Ed, a assemblé un carreau qui comporte des bretelles, la cravate assortie, ainsi qu'une chemise blanche incluant les boutons et la poche – un cadeau précieux qu'il avait offert à Jarod. Lori, la jeune sœur de Jarod, a choisi une des chemises de son frère. Elle l'a utilisée comme toile de fond pour y appliquer des photos d'eux prises ensemble au cours de leur vie. Adam, le jeune frère de Jarod, a ajouté une lettre qu'il avait écrite à son frère l'été précédent, le remerciant d'être le meilleur grand frère qu'un garçon puisse jamais avoir dans la vie, et la gaine d'une balle de baseball qu'ils avaient l'habitude de se lancer ensemble. À cet héritage d'amour, nous avons ajouté des clés de voiture, les vêtements que portait Jarod, des photos de membres de la famille, sa casquette de baseball favorite, et plus encore.

La réalisation de la courtepointe a fait remonter de nombreuses émotions à l'état brut. Mais cela nous a aidés à surmonter notre chagrin de la meilleure façon possible – en tant qu'une famille. Nous savons que cette courtepointe nous a vraiment aidés à guérir. Nous avons cherché à mettre toute sa vie dans la courtepointe. Finalement, à la fin de juin 2000, la

Les funérailles de Chris

Après les funérailles de Chris, nos amis se sont réunis dans la maison où mon frère avait vécu pour partager des histoires, boire quelques bières et célébrer sa vie. Ce soir-là, il y a eu de nombreux moments tendres alors que nous échangions nos histoires préférés de Chris ou les choses les plus drôles qu'il avait faites. Mais rien ne m'a touché davantage qu'un hommage fait sans les mots.

John a grandi et vécu dans notre quartier. Lui et Chris étaient les meilleurs amis, des amis de toujours. Ils adoraient tous les deux jouer de la guitare et écouter les Rolling Stones. John était talentueux et se consacrait à la guitare. Chris avait moins de talent, mais il était déterminé à apprendre à bien jouer. Leurs chemins se sont éloignés après le secondaire alors que John investissait des heures interminables de pratique à son instrument de musique et que Chris poursuivait des rêves plus prometteurs pour lui que la musique. Il savait qu'il n'avait pas le talent naturel de John, mais il a toujours aimé l'idée d'être un guitariste. Il adorait le fait que John en avait fait son gagne-pain.

Lorsque Chris a eu vingt-sept ans, il a déménagé à Atlanta et a débuté un nouvel emploi. Il a acheté une guitare électrique neuve avec le bonus de son contrat, celle avec un manche en érable, celle qu'il avait tant voulue pendant des années. Il a appelé John pour lui annoncer la nouvelle.

Après la mort de Chris, je me suis demandé ce que je ferais de ses affaires. En voyant sa nouvelle guitare et son amplificateur, j'ai pensé tout de suite à John. Je savais que Chris voudrait que John hérite de sa guitare, parce que personne d'autre ne pourrait mieux l'apprécier et l'utiliser que lui. J'ai téléphoné à John pour lui dire que nous voulions qu'il ait la guitare et il en a été touché. Je lui ai suggéré de venir la chercher après les funérailles.

John, son épouse, Audrey, et leur nouvelle petite fille, Ellie, étaient présents à notre rassemblement après les funérailles de Chris. Une heure ou deux après notre arrivée, je me suis demandé s'ils étaient encore dans la maison, ne les ayant pas vus depuis un certain temps. Je suis monté à l'étage dans la chambre de Chris pour vérifier si John s'était souvenu de prendre la guitare avec lui en partant. En arrivant au haut de l'escalier, j'ai entendu le son d'une musique provenant de la chambre. J'ai frappé doucement à la porte et je suis entré dans la pièce.

Audrey et Ellie étaient étendues l'une à côté de l'autre sur le lit, en silence. En entrant, Ellie s'est soulevée sur un coude et m'a souri avec bienveillance. John était enfoncé dans le fauteuil de Chris, près du lit. Ses yeux étaient fermés. Il tenait sur ses genoux la guitare au manche en érable et jouait doucement du blues. Sa tête était inclinée vers l'arrière pendant que des larmes jaillissaient du coin de ses yeux pour couler lourdement sur le contour de son visage. John déplaçait ses doigts sur le long du manche de la guitare et lui faisait chanter selon ce qu'il ressentait. Les cordes résonnaient profondément en moi.

Il ne jouait pas pour moi ; il le faisait parce qu'il n'avait pas de meilleure façon de démontrer et de partager son émotion avec sa famille et avec Chris. Il était dans la chambre de Chris, à la guitare de Chris ; il jouait avec lui une dernière fois et lui exprimait sa douleur.

En mots simples, ce fut un grand hommage, l'un des moments les plus touchants de ma vie. Je n'oublierai jamais l'émotion que John m'a fait vivre en faisant gémir la guitare si doucement et si mélodieusement. Je suis resté dans la pièce seulement quelques minutes, mais le riche témoignage produit durant cet instant restera en moi pour le reste de ma vie.

Scott Michael Mastley

Le temps du deuil, un temps pour l'amour

Si un être cher est parti,
Et a laissé un espace vide,
Recherchez le calme intérieur,
Adoptez un rythme plus lent.

Prenez du temps pour vous souvenir,
Permettez-vous de pleurer,
Accueillez vos émotions,
Laissez passer la tristesse.

Puis centrez-vous dans l'unité,
Rappelez-vous... Dieu est ici,
La mort n'est qu'un changement de forme,
Votre être aimé est toujours là.

Traitez-vous avec douceur,
Permettez-vous de ressentir,
Dieu verra à réparer,
Et le temps vous aidera à guérir.

Barbara Bergen

La lettre

Mes doigts se sont engourdis lorsque j'ai reçu l'appel m'annonçant la mort de mon frère Bob. Comment cela pouvait-il arriver à une personne de quarante-huit ans qui n'a jamais bu ni fumé, et qui allait à l'église tous les dimanches? J'ai passé cette soirée entière assis dans la solitude à me rappeler tout ce que nous avions fait ensemble durant notre enfance. Les larmes que j'ai versées sur mon oreiller, ce soir-là, m'ont amené à me questionner sur ma propre mortalité. Et la nervosité qui m'a accueilli au matin m'a laissé sur la question sans réponse: «Pourquoi Bob?» La seule pensée qui faisait sens, c'est que tout arrive pour une raison et que Dieu devait avoir terriblement besoin de lui. Un arrêt cardiaque fatal pendant qu'il prenait des vacances à Hawaï avec sa femme? Durant toute la journée, je me suis complaint dans l'apitoiement sur moi-même et dans l'incrédulité. Je me suis rendu au travail et j'ai partagé l'horrible nouvelle. Je me demandais si je parviendrais un jour à secouer la peur devant l'injustice de la vie et comment je réussirais à traverser tout cela.

Après le travail, je me suis rendu à la résidence de Bob avec mon autre frère, Mark, pour voir si nous pouvions être d'une quelconque utilité. Les trois enfants de Bob, Tammy (25 ans), Jenny (24 ans) et Andy (19 ans) étaient seuls à la maison, se demandant ce qui était arrivé à leur père et pourquoi. Par ailleurs, j'avais besoin de faire quelque chose pour me tenir occupé.

À notre arrivée, nous avons trouvé Tammy bouleversée, tremblant sur le siège du passager de la voiture de son ami. Jenny pleurait de façon incontrôlable en s'approchant de nous pour nous offrir une grosse étreinte. Puis, nous avons rejoint Andy, assis dans le gazebo de la cour arrière, après qu'on nous a prévenus qu'il n'avait pas prononcé un mot depuis qu'il avait appris la nouvelle. C'est à ce moment que j'ai réalisé que je n'avais pas seulement perdu un frère, mais que mes adorables nièces et mon neveu venaient de perdre leur père.

D'une certaine façon, j'ai commencé à relaxer. Il ne s'agissait plus de moi ni de mon chagrin. Il s'agissait d'essayer de changer quelque chose et d'aider ces jeunes. Sincèrement, je n'avais aucune idée de ce que je pouvais leur dire, mais si je continuais simplement à parler, peut-être que quelque chose pourrait les aider à se sentir mieux. J'ai partagé les sentiments que j'avais ressentis lorsque mon père est décédé. J'ai essayé de rester positif et de réfléchir à quel point j'avais été chanceux d'avoir bénéficié de son soutien. Il était le genre de père que j'avais toujours voulu. Aussi, comment, après avoir partagé ces pensées avec mes amis, ils ont commencé à me dire qu'effectivement j'étais chanceux d'avoir connu une enfance si merveilleuse alors que leur propre expérience n'avait pas été aussi heureuse.

Aux funérailles, j'ai entendu une conversation entre ma mère et Tammy. Je me suis tourné juste à temps pour entendre Tammy demander: «Mamie, lorsque je m'en sentirai le courage, est-ce que je pourrais passer à ta maison et que tu pourrais peut-être me parler de l'enfance de papa et de comment il était?»

«Absolument!» a répondu chaleureusement maman.

C'est à ce moment que j'ai réalisé comment je pouvais apporter mon aide. D'une certaine façon, je me sentais comme si j'interrompais une conversation privée, mais je me suis tourné vers Tammy et lui ai demandé: «Puis-je t'écrire une lettre et te parler de ton père?»

«Oncle Jim, tu ferais cela? Ce serait super!» D'une certaine manière, je sentais que j'allais contribuer à fournir les pièces manquantes qu'ils ont toujours pensé avoir le temps d'assembler. La nouvelle de mon offre aux trois jeunes s'est répandue rapidement de Jenny à Andy. Au cours des trois semaines qui ont suivi, durant mon heure de dîner, je me suis trouvé un lieu tranquille pour écrire. Je n'avais pas vraiment l'intention d'en dire beaucoup, mais après la première journée, mes souvenirs d'enfance avec Bob me semblaient spéciaux. J'ai parlé de l'époque où nous étions des enfants et qu'il voulait toujours marcher jusqu'au magasin en chantant sans cesse à l'aller comme au retour. Il aimait toujours chanter les parties en harmonique. Et savez-vous quoi? Au moment de notre arrivée à la maison, la chanson sonnait plutôt bien. Je ne pensais vraiment pas que ma promenade mentale aviverait des souvenirs si profonds.

Quelque part, mon désir d'aider mes nièces et mon neveu s'est transformé en une remontée de souvenirs chaleureux pour moi-même. J'ai commencé à souligner les événements importants de notre enfance – des choses qu'il faisait dont je me souvenais –, la façon qu'il avait de se mettre les pieds dans les plats, les gestes idiots qu'il posait pour se mettre dans l'embarras. Je n'avais pas besoin des enfants pour penser à leur père comme à un homme parfait. Mais je voulais qu'ils sachent que nous avions déjà été des enfants, que nous avions fait des erreurs et appris d'elles, puis poursuivi notre route. Lorsque j'ai complété mon écrit, il avait onze pages. Je n'en revenais pas de tout ce que j'avais à dire. Avec chaque copie de ma lettre, j'ai inclus une photo d'enfance de leur père et moi, que j'ai insérées dans une enveloppe en papier kraft, puis j'ai imprimé le nom de chacun dessus. J'étais fier de mon effort qui, je l'espérais, pourrait aider d'une quelconque manière. Je n'avais pas prévu, par contre, que ce geste puisse aussi m'apporter quelque chose. Un simple geste de partage d'informations pour guérir leurs cœurs m'a aidé à guérir le mien.

Je me suis rendu en voiture à leur maison un samedi après-midi mais, malheureusement, ils étaient absents. J'ai laissé les trois enveloppes dans la boîte aux lettres et je suis parti. Les semaines ont passé et je n'ai reçu aucun mot de leur part. Cela importait peu. À la fin de la lettre, je les remerciais de m'avoir permis de partager mes souvenirs d'enfance de leur père, et tout ce que cela signifiait pour moi, et à quel point mon cœur était rempli de pensées heureuses de mon frère décédé beaucoup trop jeune. J'étais fier d'avoir développé mes habiletés en écriture, qui m'ont permis de décrire avec justesse mes pensées. J'étais prêt à poursuivre ma route et, à certains égards, à les aider à en faire tout autant. Je les ai assurés que je serais toujours là et qu'en tout temps, je serais heureux de recevoir leurs appels.

Quelques mois plus tard, j'ai reçu une lettre de Jenny qui était retournée à l'université. Elle m'a écrit qu'elle avait trop souffert pour lire ma lettre et qu'elle avait attendu le bon moment lorsqu'elle se sentirait plus forte. Un jour que sa famille et son père lui manquaient, elle l'a lue. Elle m'a écrit à quel point c'était exactement ce dont elle avait besoin et au bon moment. Le plus significatif pour moi fut de lire qu'elle avait planifié de me remercier par courriel, mais elle a décidé qu'une lettre personnelle succincte n'était pas acceptable – et que, s'il arrivait un jour que je veuille me rappeler l'importance que j'avais à se yeux, je pourrais ressortir sa lettre et la relire.

J'ai essuyé une larme de fierté et j'ai placé tranquillement la lettre dans mon album de souvenirs. C'est dans de tels moments que je prends conscience de quoi se compose la vie.

Et la mort.

Jim Schneegold

Un Noël à la caserne de pompiers

En essayant de penser comment nous pouvons vraiment changer les choses, nous ne devons pas ignorer les petites choses quotidiennes que nous pouvons faire et qui, au fil du temps, s'additionnent pour produire des changements importants que, bien souvent, nous ne pouvons pas prévoir.

Marion Wright Edelman

... elle se tenait là
dans le porche de la station
encadrée par des flocons de neige
de la taille d'une main de bambin.
Blancs et lourds,
tombant comme de minuscules anges
qui ne pouvaient résister à une courte danse
dans ses cheveux.
Comme le père Noël, elle apportait la joie,
son sac rempli d'oursons en peluche
et de mammouths laineux,
leurs visages collés contre le sac opaque,
dans l'espoir de s'enfuir,
une chance d'être étreints de nouveau
par de petites mains,
et tenus contre de petits visages...

Les mois de décembre à Seattle sont brumeux et d'un gris acier, comme les navires de la marine et les porte-avions qui sillonnent silencieusement nos voies d'eau navigables. Trois ou quatre fois chaque hiver, une lourde neige mouillée venue du Puget Sound fait plier les rameaux des cèdres et les branches des pruches alors que le tapis de fougères sur le sol de la forêt s'enveloppe d'un blanc merveilleux. La neige recouvre et givre nos routes sinueuses, faisant de chaque colline une piste pour les luges d'enfants et les adultes qui souhaiteraient l'être encore.

Pour un lieutenant de caserne de pompiers, la neige est également synonyme de nuits remplies d'accrochages, de véhicules abandonnés et de pannes de courant. Je ne dors que quelques heures précieuses durant les quarts de travail neigeux, mais la joie que notre visiteur glacé apporte aux enfants vaut bien l'agitation et le désordre.

La tempête de neige d'avant Noël était en cours depuis deux heures, et ma caserne avait déjà répondu à trois accidents durant l'heure de pointe. Du café frais était en préparation. Tout indiquait qu'une nuit blanche, mouvementée, se préparait. J'étais certain que la personne qui frappait à la porte de la caserne était un automobiliste bloqué ou un passant venant rapporter un autre accident sur la route achalandée à quatre voies, juste de l'autre côté de la bretelle d'accès à notre caserne de pompiers. Je faisais erreur.

Elle devait avoir environ trente-cinq ans. C'était une femme de petite stature aux cheveux auburn qui se tenait devant la porte, souriant à travers les flocons de neige de la taille d'une pièce de un dollar. Je l'ai invitée à entrer et je lui ai offert la première tasse de notre café fraîchement préparé. Elle a accepté mon offre, secouant du pied la neige croûtée sous ses bottes tout en entrant dans la caserne. Elle trimbalait un sac à ordures de cuisine rempli à capacité dans sa main gauche, se tenant légèrement penchée pour compenser le poids du sac qui la déséquilibrait.

Elle a secoué la neige de ses cheveux et soufflé dans ses mains pendant que je lui versais une tasse du java âcre de la caserne.

«Que mettez-vous dans votre café?» lui ai-je demandé par-dessus mon épaule.

«Juste noir, merci», a-t-elle répondu.

J'ai apporté les deux tasses de café fumant à travers la cuisine et je lui en ai tendu une. Elle a placé ses deux mains autour de la tasse chaude, a souri et m'a remercié. Entre les gorgées, nous avons spéculé à savoir si cette neige précoce était annonciatrice d'un hiver brutal à venir. Elle a ri de nouveau lorsque je lui ai dit que j'allais faire une tonne d'argent supplémentaire en offrant un service d'installation de chaînes et de clous de l'autre côté de nos larges portes de garage.

J'ai regardé son sac de plastique blanc. Elle a sûrement remarqué mon visage interrogatif, car elle a souri et répondu avant même que je puisse lui poser la question. «Je ne pouvais pas me résoudre à venir ici les trois premières années», commença-t-elle. Sa voix tremblait un peu en parlant. «Je suis désolée d'avoir pris autant de temps pour vous dire *merci* mais, bon, me voici enfin.»

L'image était plus claire maintenant, mais je n'avais pas encore toutes les pièces du casse-tête. «Madame?»

Elle pencha la tête et fit un geste en direction du sac qu'elle avait déposé délicatement sur le carrelage de la porte d'entrée. «Ils appartenaient à mon fils.» Un castor brun foncé aux dents avancées dépassait de la partie supérieure du sac. Sous le castor, je pouvais voir un assortiment de deux douzaines d'animaux en peluche. Ils ressemblaient à une bande de bestioles de zoo rebelles se préparant à une évasion.

Lorsqu'elle m'a mentionné le nom de son fils, cette dernière pièce compléta le puzzle. Quelques années plus tôt, il avait été une autre victime de notre route nationale – une autre perte déchirante, un enfant que nous avons été incapables de sauver. Il est décédé quelques jours avant les fêtes. Je n'ai jamais cru qu'il y avait un bon moment pour un enfant de mourir, mais le fait de devoir supporter une perte aussi dévastatrice lorsque les fêtes approchent ajoute une tournure finale de cruauté.

Pendant un moment, les mots m'ont manqué. Je ne savais pas quoi dire, alors je me suis tu. J'ai fixé les gouttelettes d'humidité sur ses cheveux. Elle a pris une grande respiration, a souri et a continué: «Je ne peux leur trouver d'utilité en ce moment, alors je me suis demandé si vous pouviez les donner.» Elle a fait une pause et a ajouté: «À des enfants qui en ont besoin, cela s'entend.»

Comme la plupart des autres casernes de pompiers, nos unités médicales se déplacent avec une réserve d'animaux en peluche. Quand un enfant est malade ou blessé, un ourson n'allègera sûrement pas sa souffrance, mais il peut apporter un certain réconfort. C'est un copain qui comprend et qui ne se plaint pas quand on le serre trop fort. Cette femme connaissait notre programme de dons d'oursons en peluche et elle nous offrait une collection très spéciale.

J'ai pensé lui demander «Êtes-vous bien certaine de vouloir les donner?» mais je ne l'ai pas fait. L'expression dans son regard me disait qu'elle n'avait pas pris cette décision à la légère. «Merci», lui ai-je dit. J'ai bien réfléchi avant d'ajouter: «Je pense que vous ne saurez jamais combien de tout-petits vous allez toucher par ce geste.»

«J'espère que vous avez raison, répondit-elle. Je suis certaine que mon fils serait heureux de savoir qu'il partage ses peluches avec quelqu'un qui a besoin d'aide.»

«Vous ne terminez pas votre café?» lui ai-je demandé alors qu'elle se dirigeait vers la porte avant, laissant derrière elle sa tasse à moitié pleine et encore fumante à côté de la mienne sur la table. «Non. Je dois retourner à la maison avant que le temps ne se détériore davantage.»

Je lui ai tenu la porte ouverte en lui recommandant de conduire prudemment. Elle a ri et m'a répondu: «Ce serait préférable. Je ne veux pas être votre prochaine patiente.» Elle a fait une pause, s'est retournée et a ajouté: «Merci!»

J'ai agité la main et je me suis écrié: «Merci à VOUS! Et Joyeux Noël!»

L'interphone de la station s'est ouvert de nouveau, envoyant cette fois mon équipe de secours auprès d'une femme en plein accouchement. Quarante secondes plus tard, le véhicule d'urgence médicale blanc et bleu est sorti en trombe de la station et s'est engagé sur l'autoroute, ses deux gyrophares allumés reflétant dans la neige tourbillonnante. Seul, je suis retourné auprès de mon café et du sac d'animaux en peluche.

Je me suis agenouillé près du sac et j'ai sorti une à une les petites créatures duveteuses. Un hippopotame, un ourson vert et un autre violet, ainsi qu'un aigle d'Amérique avec un bec très large et des ailes molles enveloppant son torse.

Je me suis demandé combien de souvenirs contenait ce sac. Combien de fois un petit garçon s'était endormi en berçant l'un d'eux contre lui. Combien de peluches avaient entendu un secret ou une prière chuchotée par un enfant. J'ai pensé à mon fils A. J. et à sa collection de dinosaures en peluche. Dans une situation similaire à cette mère, voudrais-je, pourrais-je avoir le courage de donner des souvenirs aussi précieux?

J'ai rassemblé les peluches, je les ai remises dans le sac que j'ai placé avec précaution dans notre salle d'entreposage. Le matin suivant, j'ai informé l'équipe en service de notre nouvel approvisionnement en peluches.

Les jours raccourcissent de nouveau, les nuits sont plus froides et les fêtes s'en viennent. Il y a bientôt un an que cette maman nous a offert son cadeau unique. Je ne lui ai pas reparlé depuis ce temps. Elle n'est pas venue me voir ni ne m'a téléphoné. Mais si elle le fait, je sais exactement ce que je lui dirai.

Je lui parlerai de la petite fille de neuf ans dont la maison a brûlé. Elle n'a jamais lâché cet hippopotame gris. Ou du petit garçon de dix ans dont la jambe a été brisée à trois endroits après avoir chuté d'un cheval. Au début, il ne voulait pas le beagle blanc et brun, mais cinq minutes plus tard il le serrait très fort contre sa poitrine. Et de l'ourson blanc comme neige que nous avons donné à un enfant de cinq ans ayant une fièvre de 40 degrés Celsius. Nous avons surnommé la peluche Fritz et cela a fait sourire un petit garçon malade.

Ce ne sont que les histoires que je connais. Il y en a plusieurs dont je n'ai pas entendu parler et que je n'entendrai sans doute jamais. Mais je sais ceci: avec chaque animal en peluche, il y a une histoire spéciale rendue possible grâce au cadeau d'amour d'une mère. Une histoire sur l'adversité, la douleur et la peur, tissée avec un fil de réconfort que seule une peluche peut apporter. Pour chaque jouet que le fils d'une mère a tenu un jour tendrement dans ses bras, il y a maintenant un arc-en-ciel dans la tempête d'une autre famille. Peut-il y avoir un moyen plus parfait de buriner l'héritage de votre enfant sur les murs de l'histoire?

Aaron Espy

Le chagrin en aide d'autres

Le chagrin rapproche deux cœurs dans des liens plus étroits que le bonheur ne pourrait jamais le faire; et les souffrances communes sont des liens encore plus forts que les joies communes.

Alphonse de Lamartine

Linda Maurer étudie un portrait encadré d'une belle jeune femme aux longs cheveux blonds et aux superbes yeux noisette – son seul enfant, Molly, qui n'avait que dix-neuf ans lorsqu'elle est décédée dans un accident de train au printemps de 1991.

Elle relit l'article qu'elle a découpé dans le journal à propos d'une autre mère dont le fils est mort tragiquement. Ses yeux se remplissent de larmes en posant son stylo sur le papier.

«Je comprends votre douleur, car je l'ai vécue», écrit-elle aux parents souffrants qu'elle n'a jamais rencontrés. «Laissez les autres vous aider à travers votre terrible cauchemar, les avise-t-elle. Vous deviendrez plus forts au fil des ans, mais vous ne cesserez jamais, jamais, d'aimer votre enfant de tout votre cœur.»

L'amour de Linda pour sa fille était sans bornes. Mais elle et Molly étaient également les meilleures amies. Elles magasinaient des vêtements ensemble, confectionnaient des gâteaux aux graines de pavot et s'affrontaient régulièrement sur l'un des courts de tennis du quartier. « Vous êtes inséparables toutes les deux», commentaient souvent des amis. Linda souriait chaque fois et remerciait Dieu de l'avoir bénie d'avoir une enfant aussi pleine d'entrain et aimante.

«Je suis la seule dans le dortoir qui a très hâte que le week-end des parents arrive» a confié un jour Molly à Linda, en téléphonant de l'université de l'Arizona où elle était étudiante de première année.

C'est seulement quelques mois plus tard que Molly a participé à la semaine de relâche, en faisant un voyage en train à travers le Mexique avec des amis. Il y a eu un terrible accident. Ce dimanche après-midi-là, Linda et Larry ont reçu l'appel fatidique.

«Est-ce Molly?» haleta Linda lorsque le visage de Larry est devenu blanc comme un drap. Elle faillit s'évanouir quand il acquiesça de la tête. «Est-elle morte?» demanda-t-elle, même si, au plus profond d'elle-même, elle pouvait déjà pressentir la réponse. En un clin d'œil, sa précieuse Molly était partie.

«Je ne peux tout simplement pas supporter cette douleur», sanglotait Linda alors que parents et amis de la défunte étaient réunis à leur maison de Boulder au Colorado, pour offrir leurs condoléances et leur amour. Des douzaines de personnes arrivèrent de l'université de Molly. D'autres voyagèrent d'aussi loin que l'Australie pour exprimer leur chagrin et assister aux funérailles, remplissant à capacité une église de mille deux cents places.

Les voisins apportèrent de la nourriture pour toutes ces personnes en deuil qui se rassemblaient chaque jour pour offrir leurs condoléances. D'autres nettoyèrent, firent les courses, et conduisirent Linda et Larry à leurs différents lieux de rendez-vous. Aucun des deux n'était en mesure de prendre le volant.

Linda pleurait jusqu'à l'endormissement. «Je ne verrai jamais Molly obtenir son diplôme universitaire et débuter sa carrière, se désolait-elle. Je ne la verrai jamais s'éprendre de quelqu'un ou fonder sa propre famille.»

La douleur était si insupportable que Linda devint suicidaire pendant une brève période. Mais Kay prit en main Linda. «Tu vois ces jeunes gens?» lui dit-elle en pointant les nombreux amis de Molly qui s'étaient rassemblés pour partager leurs larmes et leurs souvenirs. «Si tu t'enlèves la vie, combien d'entre eux, crois-tu, pourraient faire comme toi? Et qu'adviendra-t-il de Larry? Il a besoin de toi autant que tu as besoin de lui. Tous les deux, vous devez affronter cette tragédie ensemble.»

Linda a bien essayé, mais pendant des mois elle était incapable de supporter la vue de n'importe quel lieu favori de Molly: le centre commercial du quartier, le lac où la famille allait habituellement pêcher, les courts de tennis où Linda avait enseigné à sa jeune fille le maniement d'une raquette.

Un jour, alors qu'elle se sentait assez forte pour s'aventurer à l'extérieur de la maison pour acheter une carte d'anniversaire à une amie, Linda est ressortie précipitamment de la boutique, en larmes. «Les étagères étaient remplies de cartes pour la fête des Mères.» Elle a pleuré cette nuit-là dans les bras de Larry.

Les fêtes étaient les épreuves les plus difficiles. L'anniversaire de Molly. L'Action de grâce. Noël.

Ce fut le lendemain de Noël que Linda remarqua un article de journal relatant l'histoire d'un jeune garçon ayant péri dans un accident de ski pendant les vacances. Son cœur fut porté vers la mère et le père de l'enfant et, bientôt, Linda donna libre cours à ses sentiments dans une lettre. «S'il y a quoi que ce soit que nous puissions faire, n'hésitez pas à nous téléphoner», les exhorta-t-elle. Quelques semaines plus tard, les parents du garçon lui rendirent visite.

«Comment faites-vous pour continuer?» demanda la mère nouvellement endeuillée, sa voix étranglée par les larmes.

Linda serra la main de Larry. «Nous nous entraidons, expliqua-t-elle. C'est la seule façon.»

Les paroles de Linda semblèrent réconforter le couple et à partir de ce jour-là, chaque fois que la mère de Molly entendait parler d'un enfant qui était décédé, elle prenait toujours le temps d'envoyer aux parents une lettre venant du fond de son cœur. L'écriture apportait du réconfort à Linda, et plusieurs de ceux ayant reçu ses mots l'appelaient ou lui écrivaient pour lui dire combien ses paroles apaisantes les avaient aidés durant leurs heures les plus sombres.

Un matin, Linda se réveilla d'un rêve dans lequel elle étreignait Molly, avec une seule pensée résonnant dans sa tête. «Je vais écrire un livre», décida-t-elle. Elle emprunta une machine à écrire et commença l'après-midi même. Elle décrivit les déclencheurs soudains du chagrin et du sentiment de perte, et comment Larry et elle ont enfin trouvé la force de recommencer à vivre. «Aider les autres est ce que Dieu veut que je fasse de ma vie», a compris Linda avec une clarté soudaine.

Linda écrivit non pas un livre, mais bien deux: *I Don't Know How to Help Them* [Je ne sais pas comment les aider], pour les amis et la famille de parents endeuillés, et *Standing Beside You* [Je suis à tes côtés], qu'elle a écrit pour les mères et les pères en deuil. Elle a autoédité les deux livres en incluant son adresse personnelle afin que tout le monde puisse la contacter.

Rapidement, il y eut un déluge de lettres et elles n'ont pas cessé depuis. Linda répond personnellement à chacune d'elles. Elle participe également à des séances de signatures de livres et organise ensuite des discussions en groupe.

«Lorsque Molly est décédée, je pensais que je n'aurais pas eu à endurer toute cette souffrance si elle n'avait jamais vécu, partageait Linda dans ces groupes. Mais, maintenant je comprends que j'aurais aussi passé à côté des plus heureuses et des plus épanouissantes dix-neuf années de ma vie en tant que maman de Molly.»

Ces réunions sont toujours difficiles pour Linda. Par la suite, elle reste éveillée pendant plusieurs nuits dans son lit, hantée par toutes les tristes histoires qu'elle a entendues, et aussi parce qu'elle sait que, pour plusieurs parents rencontrés, la véritable douleur ne fait que commencer.

Linda passe plusieurs heures chaque jour à son bureau, répondant aux douzaines de lettres qu'elle reçoit chaque semaine de parents endeuillés, de leurs amis et de leurs familles. « Si je peux aider une seule personne à traverser un autre vingt-quatre heures, je sais alors que ma Molly est fière de moi, dit-elle. Elle est toujours avec moi. Elle se tient ici juste à mes côtés, et les souvenirs ne sont plus douloureux. »

Heather Black

Laisse le corps vivre sa peine

Vous ne croyez pas pouvoir y survivre et vous n'y arrivez pas vraiment. La personne que vous étiez n'est plus. Mais la moitié de vous qui est toujours en vie se réveille un bon matin et se remet de nouveau en marche.

Barbara Kingsolver

Je me suis réveillé tôt le 1er janvier, le premier jour du nouveau siècle, et je me suis traîné hors de ma grotte (le nom que j'ai donné à mon lit). La veille du jour de l'An s'était passée sans histoire, au lit à 22 heures, un oreiller sur mes oreilles pour étouffer les bruits des célébrations du centenaire se déroulant dans mon quartier.

J'ai passé les dernières années au creux de la douleur après que Jenna, ma fille de vingt et un ans, a été tuée dans un accident d'autobus alors qu'elle étudiait à l'étranger. Sa mort, ainsi que celle de trois autres étudiants, dans un autobus en Inde, avait fait la manchette partout dans le monde. J'étais un père au cœur brisé, convaincu qu'il n'y avait plus rien à célébrer, jamais. J'ai essayé de remettre mon monde à l'endroit. J'agissais comme si un jour ma vie aurait de nouveau un but, un sens, mais je vivais un désespoir profond. Ma vie telle que je l'avais connue était terminée. Il n'y aurait plus de «bons moments», plus de célébrations, pas sans ma fille.

Alors que j'enjambais Rascal, le chien de la famille, blotti confortablement dans son coin à côté du lit, le téléphone a sonné. C'était mon amie Anne, paniquée, qui me demandait mon aide. «Ken, je suis inquiète à propos de Howard. Il a été déprimé toute la semaine. Pourrais-tu s'il te plaît lui téléphoner? Aujourd'hui?»

Et c'est ainsi que j'ai appelé mon pote Howard. Son entreprise familiale de troisième génération perdait des millions de dollars et il devait faire face à une offre publique d'achat hostile (OPA). Howard était heureux de recevoir de mes nouvelles.

En réponse à mon invitation d'aller déjeuner, il a dit: «Je suis en chemin pour aller à mon cours de yoga. Pourquoi ne viendrais-tu pas avec moi et ensuite nous irons déjeuner?» J'ai accepté, réalisant que je pouvais aider un ami dans le pétrin et fuir ma propre misère pour quelque temps.

Une heure plus tard, j'étais assis en position de Lotus à côté de Howard, dans une pièce remplie d'élèves de yoga aux yeux brillants. Un nombre surprenant d'entre eux étaient des hommes de mon âge qui semblaient en très bonne forme et je me suis demandé dans quelle galère je venais de m'embarquer. Je ne pouvais me souvenir de la dernière fois où j'avais fait des étirements; j'avais rempli mon vide intérieur avec la nourriture depuis la mort de Jenna et engraissé de douze kilos. Je me sentais aussi un peu maladroit, assis parmi un groupe de gens au dos droit, du type nouvel âge, qui visiblement savaient ce qu'ils faisaient. Puis, j'ai jeté un coup d'œil à mon ami dont le visage était angoissé, et il s'est tourné vers moi essayant de me sourire. Je me suis très vite souvenu pourquoi j'étais là. Je me sentais en quelque sorte plus proche de lui que jamais, comme s'il commençait à comprendre ce qu'on ressent quand on a le cœur en lambeaux. D'une certaine façon, je me sentais moins seul.

Quand la classe se fut installée, Diane, la professeure de yoga, une belle jeune femme à la voix douce, nous a invités à tourner notre attention vers l'intérieur. Elle nous a demandé de trouver une position confortable et de fermer les yeux. «Prenez une grande inspiration et, durant l'expiration, libérez toutes les tensions que vous pourriez avoir en vous.» Pieds nus, Diane se frayait un chemin entre les étudiants, puis elle a dit le premier de plusieurs mots que je n'oublierai jamais. «Lâchez prise! Ayez confiance. Laissez le corps respirer par lui-même.»

Quoi? ai-je pensé.

Ma respiration était devenue superficielle et contrôlée. Ma douleur était souvent si intense que je ne savais pas si je pourrais me rendre au moment suivant. Je luttais seulement pour survivre. Et, pourtant, en écoutant la voix douce et rassurante de Diane, j'ai pu m'abandonner peu à peu. Je répétais sans cesse: *laisse le corps respirer par lui-même*, jusqu'à ce que je puisse me sentir me détendre et lâcher prise. Mon corps avait été gelé par le traumatisme de la mort de ma fille. Chacune de mes cellules s'était retrouvée sens dessus dessous. D'une certaine manière, moi aussi j'étais mort, j'avais cessé de respirer. Mais voilà que j'étais assis sur un coussin de yoga, découvrant un nouveau souffle, un nouveau mouvement et une nouvelle vie.

Diane nous a ensuite invités à pratiquer une posture de yoga qu'elle appelait «l'ouverture du cœur».

Avant même de comprendre pleinement ce que mon corps faisait, j'avais laissé échapper un doux mais angoissant soupir. Puis, j'ai senti des larmes couler sur mes joues. Dans sa sagesse, mon corps s'accordait une petite libération. J'avais découvert une nouvelle caverne, un refuge sécuritaire pour mon chagrin, vieux de cinq mille ans, appelé *yoga*. Dans l'heure qui a suivi, la douce voix de Diane m'a entraîné dans un voyage de retour dans mon corps, mon cœur et mon âme. Plus elle nous guidait avec des paroles telles que: «Laissez-vous être, avec douceur, compassion et sans tension», plus je réalisais à quel point je m'étais enfermé en moi-même. J'avais fermé mon corps et mes émotions. Sans en être vraiment conscient, je mourais peu à peu. Peut-être comme beaucoup de parents qui vivent le cauchemar innommable et impensable de perdre un enfant, mon moyen de faire face à la douleur apparemment sans fin a été de me refermer. Et j'avais abandonné.

Guidé et encouragé par un professeur sage et bienveillant, j'ai commencé à faire mes premiers pas de bébé. J'ai appris lentement la pratique de la compassion envers moi-même. Et j'ai découvert une voie pour commencer à guérir ma vie. Le yoga m'a appris à réouvrir mon cœur et à apaiser mon esprit. Les invitations de Diane à «remarquer comment chaque jour notre corps est différent» et à «faire une distinction entre la tension et la force» m'ont appris davantage sur la douleur, la guérison et la renaissance de l'espoir que tout autre livre que j'avais lu. J'ai commencé à trouver une nourriture dans le silence et, d'une certaine manière, je me sentais encore plus en relation avec ma fille durant ces moments-là. À la fin de cette première classe, alors que nous étions assis en silence, j'ai parlé à Jenna et je lui ai répété que je l'aimais, que j'allais essayer de me battre pour revenir à la vie et la rendre fière de moi de n'avoir pas abandonné. Dans les semaines et les mois qui ont suivi, j'ai appris à calmer mes pensées obsessives qui accompagnent si souvent les pertes traumatisantes et aussi à réactiver mon «élan combatif» afin de «me sentir bien» dans mon corps. Avec une assistance professionnelle, j'ai lentement appris que c'était correct de permettre au chagrin de circuler en moi. J'ai commencé à me dire: *laisse le corps vivre sa peine.*

Durant chaque classe, c'est devenu un rituel pour moi de placer ma main sur le cœur et de pleurer doucement quelques instants, et de parler à Jenna pendant les méditations de fin de cours. J'ouvrais la voie à une nouvelle vie, une vie au cours de laquelle je pourrais vivre avec et à travers ma perte. Je pleurerai toujours la mort de ma fille. Maintenant, je peux éprouver de la joie et le privilège de l'avoir eue dans ma vie pendant vingt et une années précieuses. Elle sera à tout jamais dans mon cœur. Depuis ce jour, j'ai suivi des cours de yoga deux ou trois fois par semaine. Je réapprends graduellement à revivre dans ma propre peau. J'accepte maintenant que mon chagrin, comme la respiration, n'est pas un choix. Il

La fête des Pères

Good morning! Good morning! La chanson d'un des albums des Beatles lança un réveil radiophonique aux auditeurs de l'émission du matin. Alors que la cacophonie des klaxons, le chant des coqs, les miaulements des chats et les aboiements des chiens s'évanouissaient lentement, John Hancock, l'animateur de l'émission de radio, annonça avec son rythme enlevé habituel: «C'est un beau matin! C'est un mercredi et je n'ai pas envie de parler des nouvelles. La plupart de mes fidèles auditeurs savent qu'il y a autre chose à penser ces jours-ci que la réforme des soins de santé à Charlotte, la loi sur le crime à Raleigh et les meurtriers en série tous condamnés à la même peine. Alors aujourd'hui, c'est la fête des Pères – même si nous sommes seulement au mois de mars. Je vais revenir pour vous expliquer.» La musique de guitares mélodieuses s'éleva, changeant l'atmosphère, alors que la chanson de Dan Fogelber, *The leader of the Band*, s'empara des ondes. Et les auditeurs entendirent les mots touchants d'un fils affligé qui non seulement a nié son amour pour son père, mais a fait une piètre tentative d'imiter l'homme qu'il admirait le plus.

La musique s'estompa et Hancock reprit le micro: «Oui, je sais. Ça ne peut pas être la fête des Pères. Mais vous savez – c'est mon émission. Aujourd'hui, je souhaite attirer votre attention loin des dilemmes de ce monde. Parlons de quelque chose que nous avons tous en commun: un père. Aujourd'hui, je vous promets que je ne serai pas impoli. Je ne serai pas arrogant. C'est tout un changement, n'est-ce pas? Je veux que vous appeliez pour nous parler de votre père. Vivant, mort, bon ou mauvais. Parlez-nous de cette journée avec lui au Stade Shea ou rappelez-vous la meilleure conversation que vous avez jamais eue avec lui. Je veux savoir ce qu'il vous a enseigné et pourquoi il est si spécial. Parlez-moi du père qui n'est jamais parti lorsque les choses sont devenues difficiles. Je ne sais pas à quel point vous serez dynamiques à ce sujet, mais j'espère que ça va marcher. Je détesterais devoir jouer du Montovani toute la journée. Nous allons faire une pause – les lignes sont ouvertes. De retour dans deux minutes.»

En quelques secondes, toutes les lignes étaient encombrées. Il était l'animateur du matin d'une station de radio de la Caroline du Nord. La meilleure façon de décrire sa relation avec ses auditeurs pourrait être une relation amour/haine. La plupart l'aimaient pour sa personnalité convaincante et son sens de l'humour, et ils toléraient son attitude. Même ceux qui étaient en total désaccord avec lui sur plusieurs sujets et qui n'aimaient pas son arrogance ne pouvaient s'empêcher de l'écouter. Cette émission ne parlerait donc pas de plaintes, de gémissements ou de mesquineries. Les cinquante mille watts d'ondes seraient remplis d'histoires vraies venant du cœur de ses auditeurs, alors qu'ils appelleraient pour honorer leur père.

La première personne au téléphone lui dit: «John, mon père ne pouvait ni lire ni écrire. Il nous a enseigné des façons de vivre qui n'ont rien à voir avec la scolarisation. L'honnêteté, le respect et le caractère sont ses valeurs. Toute la famille lui a appris à lire à l'âge de soixante ans. C'est un homme fier mais humble, qui vous écoute tous les jours. Il est gravement malade en ce moment, alors, avant que je manque l'occasion – je voudrais lui dire sur les ondes: *Papa, je t'aime.*» Et la voix se brisa sous l'émotion.

La voix fragile d'une femme demanda: «Bonjour, êtes-vous John Hancock?»

«Je l'espère bien, plaisanta John, je porte ses sous-vêtements.»

«Eh bien, continua-t-elle, je suis une de vos grandes admiratrices. Je vous écoute tous les jours. Je sais que votre père a été malade. Est-il encore avec vous?»

«Oui, m'dame, mon père sera toujours avec moi.»

«Sait-il à quel point vous l'aimez?»

«Eh bien, je l'espère, répliqua John. Un jour, je lui ai écrit une longue lettre remplie d'émotion juste pour être certain qu'il sache ce qu'il représentait pour moi. Je pense que je l'ai écrite plus pour moi que pour lui.»

Plus tard, durant l'heure, le rythme de Buddy Rich a envahi les ondes et John a porté un toast: «Celle-ci est pour toi, papa. Certains de mes plus beaux souvenirs avec mon père sont lorsqu'il m'a enseigné à devenir un batteur – comme apprendre quelques trucs.»

Une voix rauque a dit: «Eh, Hancock! Tu as vraiment ouvert une trappe dans mon esprit. Je suis assis ici, en bordure de la route – chialant et pleurant comme un bébé. Je n'ai jamais eu beaucoup de temps pour mon père. Je mets tout le reste en premier. J'ai toujours voulu – mais, bon, tu sais. Je viens juste de l'appeler pour lui dire que je vais ramasser une bouteille de Scotch en chemin et lui rendre visite. Il écoute également ton programme aujourd'hui. Je t'en dois une, mon vieux», et la voix s'étouffa.

Chaque personne qui téléphonait partageait sa vie et son père avec les fidèles auditeurs. Certains commentaires étaient si admirablement exprimés qu'on aurait dit que les gens lisaient un scénario déjà préparé. Les détails de la célébration d'un centième anniversaire de naissance; un éloge rempli d'amour à un beau-père; les enfants d'une famille de six que le père a dû élever seul après la mort subite de leur mère. Des histoires poignantes de sacrifices et de dévouement. La plupart du temps, John écoutait simplement, ne se mêlant qu'occasionnellement à la conversation.

Il ne restait que dix minutes à l'émission lorsqu'un auditeur déclara: «Hancock, je ne manque jamais votre émission, mais j'étais un peu en retard aujourd'hui pour la syntoniser – j'ai manqué la première partie. Je sais que votre père a eu une attaque. Est-ce qu'il est décédé la semaine dernière?»

John a hésité un peu avant de répondre: «Non – il ne l'est pas.»

«Eh bien, vous semblez toujours nous arriver avec de l'imprévu. J'espère que vous avez de bonnes nouvelles à nous annoncer. Mon père est mort il y a plusieurs années, mais je le vois chaque fois que je me regarde dans le miroir.»

John a alors ajouté: «L'horloge me dit que le moment est venu de terminer cette émission, mais je dois vous communiquer encore une chose – au sujet de mon père. Après minuit, la nuit dernière, ma mère a téléphoné, *le genre d'appel que vous ne voulez jamais recevoir*, m'annonçant que mon père venait juste de mourir.»

Tous les sons se turent à la station – un blanc –, une faute impardonnable en radiodiffusion. Mais dans ce cas, excusable. Il serait rapporté plus tard que des voitures ont été vues un peu partout dans la ville de Charlotte, rangées en bordure de la route – les auditeurs de radio partageant quelques secondes le chagrin avec John Hancock. Il retrouva sa voix et s'efforça de continuer. «Après cet appel, je me suis retrouvé dans un état de déni complet, mais mon père m'a appris à regarder les choses en face, à être un vrai homme. Je ne voulais pas vous le dire à l'avance qu'il était décédé. Il me semblait tout à fait juste aujourd'hui d'honorer mon père en vous permettant de rendre hommage au vôtre. Je suis un homme chanceux. Mon deuil sera plus facile, je crois, parce que mon père et moi avions trouvé un sentiment de paix l'un avec l'autre que certains ne trouvent jamais. Après sept années en ondes à cette station de radio, mes auditeurs sont devenus comme ma famille. Et la famille, c'est ce qui compte.»

En arrière-plan, John commença à faire jouer le magnifique et envoûtant thème musical du film *On Golden Pond*, puis parla sur la musique de *Field of Dreams*. «Je serai absent quelques jours pour ramener mon père chez lui au Texas.» À partir de ce moment, John a cessé de masquer ses émotions ou de contrôler les larmes qui enrouaient sa voix. Ses paroles tremblaient, il suffoquait. «Merci d'avoir partagé vos pères avec moi – et de m'avoir permis de partager le mien avec vous – à travers cette chose qu'on appelle la *radio*. Ici John Hancock – parti à l'extérieur depuis l'instant.»

Ruth Hancock

L'histoire de la pièce de cinq cents

« Eh, Red, tu me dois cinq cents ! »

Susan rencontra Frank par hasard pendant qu'il jouait au billard électrique dans le bar où elle était serveuse. Une lumière rouge clignota rapidement TILT et la partie fut terminée. Plongeant la main dans la poche de son tablier, Susan sortit une pièce de cinq cents et l'envoya d'une chiquenaude vers lui, puis retourna à son travail.

« Je vais la marier un jour », mentionna-t-il confidentiellement au barman.

« Ouais, bien sûr ! répondit celui-ci en riant. Ça fait longtemps qu'elle travaille ici, et je ne l'ai jamais vue sortir pour un rendez-vous amoureux. Bonne chance ! » Frank frotta la pièce de cinq cents entre ses doigts, sachant que c'était son porte-bonheur.

Jeune veuve et mère célibataire, Susan s'était organisé une vie à elle. La dernière chose qu'elle désirait était de compliquer sa vie avec un nouvel homme.

Mais le porte-bonheur de Frank fonctionna – Susan lui en mit plein la vue et vola le cœur de Frank dès leur premier rendez-vous. Rapidement, il gagna non seulement son cœur, mais aussi celui de sa fille.

Bien des moments difficiles ont suivi leur mariage. Frank était un militaire qu'on envoyait à l'étranger, laissant de nouveau Susan dans son rôle de mère célibataire. L'arrivée d'une autre petite fille la tenait occupée et les deux filles adoraient leur père. Les années ont passé rapidement.

Frank aimait raconter à qui voulait l'entendre l'histoire de la pièce de cinq cents. Ses yeux brillaient quand il parlait de son amour pour Susan. Cet homme adorait vraiment sa femme.

Leur cinquantième anniversaire de mariage fut un jour spécial. Frank a communiqué avec moi afin d'obtenir un arrangement floral pour l'église et un corsage pour son épouse. Ce dimanche matin-là, après la célébration de l'office religieux, ils ont renouvelé leurs vœux. Lorsqu'ils se sont avancés dans l'allée, notre groupe de musique les a surpris en chantant «leur» chanson: *The Sunny Side of the Street*. Leur marche est devenue une danse alors que Frank faisait tournoyer Susan dans l'allée. Quelle célébration! C'était une joie de se trouver en leur présence.

Peu de temps après cette merveilleuse journée, Frank tomba malade. Il continua d'offrir son sourire à chacun et de rayonner d'amour pour Susan. Il n'avait jamais été un plaignard. Ayant une foi solide, il savait qu'il serait bientôt avec Dieu. Il décéda après de longs mois de souffrances.

Il n'y avait aucun siège de libre au salon funéraire, alors que nous nous sommes réunis pour honorer la mémoire de ce cher ami. Chacun de nous, à sa façon, avait été inspiré par lui. Le pasteur a parlé de Frank avec beaucoup d'amour et de respect. Pendant qu'il partageait des souvenirs de cet homme spécial, nous avons ri et nos cœurs se sont réchauffés. Puis, il raconta l'histoire de la pièce de cinq cents. Il mentionna que Frank lui avait téléphoné, environ une semaine avant sa mort, pour demander à le rencontrer. Pendant leur tête-à-tête, Frank sortit son porte-bonheur. Il avait gardé cette pièce de cinq cents pendant toutes ces années.

«Frank m'a demandé de garder ça pour lui», annonça le pasteur en enfonçant sa main dans sa poche tout en marchant vers Susan. «Il voulait que je vous la donne aujourd'hui et que je vous dise de vous raccrocher à elle. Il va vous attendre à la machine de billard électrique.»

Hana Haatainen Caye

La vie secrète de Bubba

Étant l'aînée de quatre enfants et la seule fille, je me suis souvent sentie frustrée avec mes trois petits frères. Maintenant adulte, je les vois avec un éclairage un peu différent, mais ils seront toujours mes *petits* frères.

Nous avons toujours vécu proches les uns des autres, et même si nous ne nous voyions pas tous les jours, nous demeurions en contact. Mes parents possédaient une épicerie que mon père gérait, et nous nous croisions les uns les autres au magasin.

Celui que j'avais surnommé «Bubba» quand il était bébé passait toujours au magasin avant ou après son quart de travail. C'était le plus vieux de mes petits frères et il était geôlier adjoint à la prison du comté. Dire qu'il était «décontracté» serait un euphémisme. Son manque d'attention aux détails et à l'ordre me dérangeait souvent. Portant un soin méticuleux à ma maison et à mes biens, je me demandais comment il pouvait être aussi insouciant et laisser aller les choses. Lorsqu'il est devenu un père de famille monoparentale, j'ai craint qu'il ne puisse «gérer» les choses. Après une séparation et un divorce déchirants, il a rencontré une femme ravissante et les choses s'améliorèrent. Je m'attendais à tout moment à l'annonce de leurs fiançailles.

Par un après-midi ensoleillé du mois d'août dernier, j'ai reçu un appel téléphonique. La femme à l'autre bout du fil m'a d'abord annoncé qu'elle faisait partie de l'escouade de sauvetage du comté. Je ne lui ai prêté que peu d'attention, m'attendant à ce qu'elle me demande de faire un don. Elle ne m'a pas demandé d'argent, mais bien si j'avais un frère nommé Bubba. J'ai répondu «oui» avec désinvolture.

«Eh bien, il a eu un accident.» Un étrange silence a suivi ses mots. J'avais vécu ce genre d'appel téléphonique plusieurs fois au cours des années. Bubba avait été frappé de plein fouet par quelqu'un qui avait traversé la ligne jaune; son ex-épouse avait été impliquée dans plusieurs accidents avec capotage.

Restée imperturbable, j'ai demandé: «Est-il blessé? Avez-vous eu besoin de le conduire à l'hôpital?» Comme elle ne répondait pas, j'ai présumé que c'était plus sérieux. Je lui ai demandé de nouveau: «Est-il blessé?»

Cette fois-ci, elle a répondu doucement: «Bubba ne s'en est pas sorti.»

Les mots ont résonné plusieurs fois dans mon esprit avant de s'enregistrer. Que voulait-elle dire? «Je suis tellement désolée…» J'étais engourdie, et sa voix semblait s'estomper.

Le jour suivant, nous nous sommes rencontrés au salon funéraire du quartier pour organiser les funérailles. J'avais l'impression de vivre le plus long cauchemar jamais vécu. Après avoir choisi le cercueil et pris en charge les affaires familiales, le pasteur et les collègues de Bubba se sont informés à propos du service. Puisque Bubba n'était pas membre de l'église, nous avons pensé que le choix logique serait la chapelle du salon funéraire. Ce lieu serait plus que suffisant pour notre petite famille et quelques amis. Mais le shérif adjoint était plutôt d'avis que le service devait se tenir à la nouvelle école secondaire, parce que des policiers de tous les coins de l'État se déplacent souvent pour être présents lorsqu'un collègue officier est tué. Je doutais que beaucoup d'entre eux connaissaient même Bubba. Après tout, il n'était pas un policier patrouilleur, mais un geôlier dans une petite prison de comté. J'ai alors imaginé à quel point nous nous sentirions encore plus mal à l'aise dans ce large auditorium avec seulement notre petite famille et quelques adjoints. Mes parents ont décidé que ce que les adjoints croyaient être le mieux leur conviendrait.

Les visites au salon funéraire allaient débuter le soir suivant, de 19 à 21 heures. Nous sommes arrivés plus tôt, pour ne pas manquer tous ceux qui pourraient s'y être déjà présentés. Nous sommes entrés par une porte arrière et nous avons eu toute la misère du monde à nous frayer un chemin à travers la foule. Je me suis demandé qui étaient tous ces gens et s'ils étaient les malheureux amis et la famille d'une autre personne décédée. Alors que nous approchions de la chapelle où Bubba «dormait», comme les enfants le disaient, je pouvais déjà voir une longue file de gens attendant d'entrer. À l'extérieur, dans notre petit bled, les automobiles attendaient en file indienne depuis plus d'une heure. Les personnes ont défilé pendant plus de deux heures. *Qui étaient ces gens?* me suis-je demandé. Eh bien, il s'est avéré que mon frère avait une «vie secrète».

Il était un mécanicien pour ceux qui avaient des problèmes avec leur automobile, un gardien d'enfant pour ceux qui avaient un bébé à l'hôpital, un plombier pour un voisin désespéré, un prêteur d'argent, un homme qui tondait la pelouse, un déménageur, un sauveteur – chaque personne dans la file d'attente avait une histoire à raconter sur Bubba qui avait été présent pour elle dans ses moments de besoin. Pas surprenant qu'il n'ait jamais eu le temps de passer l'aspirateur ou de sortir les ordures! Il n'avait pas le temps de voir à ces détails «importants». Il avait des affaires «vraiment importantes» à s'occuper.

Quand la foule s'est dissipée, nous nous sommes préparés à partir. Alors que nous sortions du stationnement, j'ai vu une voiture de shérif arriver avec trois hommes en vêtements de prisonniers entassés sur le siège arrière. Ce fut l'un de mes pires moments parce que je savais déjà ce que le directeur des funérailles allait me confirmer plus tard. Ces détenus avaient supplié la direction pour dire au revoir à leur geôlier. Après la fermeture du salon funéraire, ils ont été conduits à l'intérieur par la porte arrière et ils sont restés debout, enchaînés ensemble et en pleurs, devant le cercueil. Ils avaient utilisé et mis en commn l'argent pour leurs cigarettes et leurs casse-croûte pour acheter des fleurs.

Le lendemain, nous n'étions pas seuls dans ce grand auditorium – il était presque rempli. Trois amis pasteurs ont partagé leurs histoires à propos de leur relation avec Bubba. Notre frère cadet, Tracy, qui souffre de dystrophie musculaire et qui a passé plus de vingt-six ans dans un fauteuil roulant, débuta ainsi: «Les gens ne pensaient pas que je serais capable de faire ça, mais mon amour pour Bubba est plus grand que ma souffrance.» Tracy s'exprima sur son grand frère; Gus s'exprima sur son partenaire; Joe s'exprima sur son ami; et le fils de Bubba, T.J., s'exprima sur son père. Bubba avait certainement été précieux pour tous ces gens-là. Nous avons été édifiés de plusieurs manières mais, au fond de moi, j'avais encore plus de chagrin pour le frère que je n'ai jamais connu. J'ai vu comme il représentait de nombreuses pertes différentes.

Le cortège, comprenant près de deux kilomètres de voitures de police aux feux bleus qui clignotaient, a été estimé à environ six kilomètres de long. Des gens se tenaient le long de l'autoroute avec leurs mains sur le cœur. Peut-être s'agissait-il d'un signe de respect ou peut-être avaient-ils le cœur brisé comme le mien.

Toute ma vie, j'ai cru que je faisais seulement les bonnes choses – entretenir la maison, m'occuper de mes enfants, aller à l'église et envoyer des cartes aux malades. Je n'ai jamais refusé d'aider les gens, mais je n'ai jamais cherché les opportunités non plus. Mes priorités semblent maintenant étrangement ordonnées. La vie secrète de Bubba m'a appris ce qui était «vraiment important».

Natalie «Paige» Kelly-Lunceford

Mon fils, un gentil géant, meurt

Soyez indulgents avec moi cette semaine, si vous le voulez bien, pour cette rubrique personnelle.

C'est à propos de mon fils Christopher. Il a eu dix-sept ans en novembre dernier. Il est décédé jeudi. Mardi, il était un jeune garçon robuste et en santé. Il est tombé malade mercredi. Et il est mort jeudi.

Vous l'auriez aimé. Tout le monde l'aimait.

Il était un gentil géant, le meilleur ami de tous et un expert mondial de premier plan. En tout. Il était toujours joyeux. Il était simplement «magique», de dire le contremaître de la ferme où il a travaillé l'été dernier.

Christopher a été adopté. Je dis cela avec délectation et amour parce que, habituellement, l'adoption est mentionnée seulement dans les histoires à propos d'enfants méchants. Dans les articles de journaux, les meurtriers en série ont été adoptés. Les gagnants de prix Nobel ne le sont pas. C'est une sorte de code journalistique pour dire: «Ne blâmez pas les parents. Ce n'est pas leur faute s'il a tué les voisins.» Mais dans ce cas-ci, ce n'est pas ma faute s'il était un enfant si extraordinaire.

Évidemment, on ne se ressemblait pas du tout, et il trouvait ça amusant. Je mesure 1,72 m et pèse environ 73 kg. Il mesurait près de 1,93 m, j'imagine, et pesait autour de 136 kg. Il ressemblait à un bloc de ciment avec un grand sourire. Une fois, il y a environ un an, il m'a présenté à un ami. «Voici mon père», a-t-il dit d'un ton fier. L'ami m'a regardé, puis a regardé Chris, et il a semblé confus. «Tu devrais voir ma mère», a-t-il ajouté, pince-sans-rire.

J'ai parlé de lui dans une de mes colonnes, ici, le 29 novembre dernier – c'était son dix-septième anniversaire. J'ai écrit sur la mort de Finnegan, notre vieux chien aux oreilles tombantes et raconté comment, lorsque Christopher avait six ans, lui et moi avions fait une excursion. Je lui avais demandé à propos de nos deux chiens Finnegan et un Bouvier aux oreilles taillées nommé Mandy: «Qui aimes-tu le plus, Finnegan ou Mandy?»

Il avait rapidement répondu: «Finnegan, car ses oreilles sont tellement longues qu'on peut essuyer nos larmes avec.»

Il a lu l'article ce soir-là et m'a demandé: «As-tu été payé pour écrire ça?» «Oui, j'ai été payé.» «Combien?» s'enquit-il. Je lui ai mentionné le montant. «Tu sais, me dit-il, cet article n'aurait eu aucune valeur sans cette citation de moi. Je pense que je devrais avoir la moitié du montant.»

C'est le genre de garçon qu'il était. Il avait toujours un angle nouveau.

Il était affectueux.

Il aimait tout le monde, particulièrement ses grands-parents, et même son père et sa mère. «Je t'aime, papa», disait-il avec sérieux et sans aucune gêne. Il savait que c'était peu commun. Son avant-dernier été, lui, ma femme et moi jouions au golf un samedi – il pouvait frapper une balle de golf à deux kilomètres, mais on ne pouvait jamais savoir si ce serait deux kilomètres à l'est ou à l'ouest – et il nous a demandé ce que nous allions faire plus tard pour le souper. «Maman et moi sortons, ai-je répondu. Veux-tu venir avec nous?»

«Nah! répondit-il, je pense que je vais faire quelque chose avec Joey.» J'ai insisté pour qu'il se joigne à nous. Finalement, il a répondu: «Écoute, papa, tu ne comprends pas. À mon âge, on n'est même pas censé *aimer* ses parents.»

Il était drôle.

Il y a quelques mois, il m'a dit: «Papa, je sais ce que j'aimerais avoir pour mon prochain anniversaire – une vignette de stationnement pour personne handicapée. Tu sais, il y a beaucoup plus de places qu'il y a de gens qui les utilisent.» Je lui ai répondu qu'il était peu probable que l'on donne une vignette de stationnement pour personne handicapée à un robuste jeune homme. Alors, Christopher, qui ne se souciait pas beaucoup de ses études, a essayé une autre tactique: «Tu sais, si j'en avais une, je pourrais partir dix minutes plus tard pour tous les endroits où je vais et je pourrais utiliser ce temps pour étudier.»

En tant que parent, vous vivez dans la peur que votre enfant meure dans un accident de voiture. Durant l'année et demie que Christopher a conduit, il a réussi à endommager nos quatre voitures familiales. Il a frappé un arbre le jour où il a obtenu son permis. («Ce n'était pas ma faute, papa.» «Eh bien! ai-je dit à Christopher, c'était la tienne ou celle de l'arbre.» Il a répondu qu'il savait cela, puis il a soutenu, de manière presque convaincante, à quel point l'arbre était à blâmer.) Et le printemps dernier, il a reculé ma voiture dans une autre de mes voitures, ce qui doit être en quelque sorte un record. Il m'a annoncé son autre accident de voiture au téléphone en commençant par: «Tu sais, papa, les sacs gonflables puent lorsqu'ils s'ouvrent.»

Mais ce fut une première attaque soudaine de diabète juvénile qui l'a tué, malgré les exploits médicaux héroïques et les ferventes prières. C'est terrible, horrible et triste. Aucun mot ne peut réconforter ses quatre grands-parents, son frère et sa sœur, ses amis et ses parents.

Cependant, un ami, Tim Russert de NBC, a téléphoné vendredi, accablé comme nous tous, et a dit la seule chose qui pouvait nous aider:

«Si Dieu était venu à toi il y a dix-sept ans et t'avait dit: *Je vais te proposer une bonne affaire. Je vais te donner un beau garçon merveilleux, heureux et en santé pendant dix-sept ans et ensuite je vais le reprendre,* tu aurais conclu ce marché en une seconde.»

Et ainsi fut le marché. Seulement, nous n'en connaissions pas les clauses.

Michael Gartner

Toucher l'âme d'une autre personne,
c'est marcher sur une terre sainte.

Stephen R. Covey

Poursuivre la route

James, mon meilleur ami, vivait sur une ferme voisine de la nôtre, juste à l'extérieur d'une petite ville de l'Ohio. Mon père était le médecin de la place et le père de Jim était un fermier qui pouvait faire pousser tout ce qu'il plantait. Mon père gardait quelques têtes de bétail et des chevaux. La seule chose que nous faisions pousser était le fourrage pour nos animaux. Alors que Jim devait travailler intensément à la ferme de son père, moi j'accomplissais mes corvées en quelques heures.

Après l'école, nous marchions souvent les cinq kilomètres supplémentaires vers sa maison. Sur cette route de campagne, il y avait un pont qui enjambait le Twelve Mile Creek. La route se situait à environ cinq mètres au-dessus de l'eau et, au printemps, lorsque l'eau devenait suffisamment haute en raison des pluies, nous avions l'habitude de nous déshabiller et de sauter une fois ou deux du pont, en chemin vers la maison.

Ces sauts nous donnaient la frousse et, pensions-nous, c'était très audacieux. Il y avait aussi un écriteau qui avertissait que plonger était interdit, mais on ne mentionnait pas le fait de sauter, ce qui nous faisait croire que nous n'enfreignions pas la loi. Beaucoup de garçons de l'école n'osaient pas sauter, nous avions alors l'impression d'être des héros.

Après nos sauts, nous allions nous asseoir au soleil sur une roche jusqu'à ce que nous soyons assez secs pour mettre nos vêtements. C'étaient les moments où nous aimions vraiment parler de différentes choses. Jim voulait devenir fermier comme son père et son grand-père. Il possédait le talent et la volonté pour accomplir son désir. Moi, je cherchais un moyen de quitter ma ville natale. Je voulais voir comment les gens vivaient partout dans le monde, comment ils agissaient, comment ils pensaient.

Contrairement à la plupart des personnes qui avaient un objectif de carrière plus près de leur domicile, Jim ne m'a pas découragé ni demandé de vouloir ce qu'il désirait, comme le font bien des gens. S'ils sont fermiers, ils veulent que vous deveniez fermier, ou s'ils ont une compagnie, ils pensent que vous devriez en posséder une également.

Jim était à l'aise avec le fait que la vie nous séparerait un jour et aussi que nous deviendrions des hommes qui ne se verraient pas tous les jours. Étrangement, c'était une partie de mon avenir que je ne voulais pas voir venir. Même si j'étais déterminé à quitter la ville, j'étais aussi déterminé à ne pas quitter mon ami. Il s'agissait d'un dilemme intéressant dont nous parlions de temps en temps.

«Eh bien, Bud! me dit-il un jour, il y a ceci à propos de la vie: tu ne peux pas avoir le meilleur de deux choses. C'est simplement un fait.»

«Je sais ça, lui répondis-je, mais que quelque chose soit un fait ne m'empêche pas de souhaiter que ce ne le soit pas.»

Il a alors ri. Il avait un rire puissant pour un garçon si petit. J'étais plus grand que lui de 15 cm environ et il était environ 15 cm plus intelligent que moi… aimait-il dire.

«Eh bien! bonne chance, m'a-t-il lancé avant d'ajouter : Faisons un autre saut. J'ai envie d'en faire un de plus.»

Il s'est levé de la roche, a couru vers le pont, a grimpé sur la rambarde où il s'est équilibré pendant un moment. Le soleil éclatant brillait sur lui et lui donnait un air radieux. Mais au lieu de sauter, il a plongé.

Il s'est donné une bonne poussée à partir du bord du pont, a arqué son dos et a étendu ses bras dans un des meilleurs plongeons de cygne que j'avais jamais vus. Il semblait planer dans les airs avant de baisser la tête, de redresser son corps et de plonger dans l'eau.

Ensuite, nous nous sommes rendus chez lui. À mon avis, sa mère était la meilleure boulangère qui puisse exister. Elle faisait du pain tous les deux jours, et cette odeur de levure que j'aimais bien embaumait toujours sa cuisine. L'automne, elle confectionnait des biscuits à la muscade… de gros biscuits ronds, riches et blancs qui donnaient un meilleur goût au lait, encore plus qu'on ne puisse l'imaginer. Et c'est ce que nous avons mangé cette journée-là, assis dans la cuisine, en échangeant avec la mère de Jim pendant qu'elle travaillait. Elle semblait presque tout connaître, incluant la capitale du Paraguay! Ce n'était pas étonnant que Jim l'aimât autant.

Le jour suivant, Jim n'était pas à l'école. Puisque le printemps est une période plus occupée pour une famille d'agriculteurs, j'ai pensé que son père l'avait gardé à la maison pour qu'il travaille à la ferme. Mais, ne le voyant pas revenir le jour suivant, j'ai commencé à m'inquiéter. J'étais sur le point de l'appeler lorsque mon père m'a téléphoné à la maison pour me dire qu'il venait me chercher. Cela m'a effrayé au plus haut point.

Même si parfois, après l'école, j'allais sur des appels avec lui, j'étais toujours celui qui proposait cette aventure. Jamais il ne m'avait appelé pour l'accompagner. Quand je lui ai demandé, au téléphone, pour quelle raison il venait me chercher, il a répondu qu'il serait à la maison dans une minute. Et il le fut.

Alors que nous roulions la courte distance de notre maison vers celle de Jim, il m'a annoncé que mon ami était malade. Il souffrait d'une pneumonie virulente et personne ne pouvait rien y faire sinon attendre et prier.

Lorsque nous sommes arrivés à la ferme, le père de Jim a ouvert la porte et j'ai suivi mon père dans la maison puis dans l'escalier vers l'étage. Une seule lumière était allumée dans la chambre et elle se trouvait à côté du lit où Jim était allongé sous des couvertures et respirant difficilement. Lorsque nous sommes entrés, sa mère se tenait à côté du lit et s'apprêtait à changer la compresse sur sa tête.

Je n'ai jamais eu aussi peur de toute ma vie. Mon père a examiné mon ami avant de se pencher pour commencer le bouche-à-bouche. Il s'est exécuté pendant un très long moment jusqu'à ce qu'un grincement soudain se fasse entendre dans les poumons de Jim. Puis, le silence. Mon père a poursuivi la respiration bouche-à-bouche jusqu'à ce que la mère de Jim se dirige de l'autre côté du lit et mette sa main sur l'épaule de mon père.

«Il est parti, doc», a-t-elle dit, avant de s'asseoir à côté de son fils dans le lit. Le père de Jim nous a conduits à l'extérieur de la chambre et j'ai suivi mon père dans la voiture pour le long et terrible retour à la maison.

Je ne savais pas quoi faire. Je ne savais pas comment vivre mes émotions. Je passais la plupart de mon temps à pleurer, et le reste, à essayer de ne pas pleurer. Les funérailles de Jim ont eu lieu dans la maison familiale, comme le faisaient la plupart des gens dans cette petite ville. Tout le monde est venu. Tout le monde s'est rendu au cimetière. Tout le monde avait l'air consterné.

Pendant des semaines, j'ai erré comme une âme en peine. Ma mère et mon père essayaient de m'aider, de me parler, mais je n'entendais rien. J'allais quand même à l'école, mais je ne travaillais ni ne parlais à personne. J'avais simplement exclu tout le monde de ma vie. Tout le monde.

Puis, un vendredi, alors que l'été approchait, j'ai marché sur la route de gravier qui menait au pont, là où j'avais vu mon ami pour la dernière fois. En approchant, j'ai été étonné de voir quelqu'un assis sur notre roche. J'ai protégé mes yeux du soleil et, au même instant, j'ai pu constater que c'était la mère de Jim.

Me voyant approcher, elle m'a fait signe de venir m'asseoir à ses côtés. Je ne voulais vraiment pas, mais j'ai compris que je devais le faire. Nous sommes restés assis, en silence, pendant un long moment. Je me sentais épuisé et si triste que j'étais incapable de parler. Finalement, j'ai posé ma tête sur son épaule. Elle a mis son bras autour de moi et c'est alors que j'ai perdu le contrôle.

Elle demeura silencieuse pendant que je pleurais mes dernières larmes. Sa robe sentait l'odeur de sa cuisine et, d'une certaine manière, cela m'a réconforté un peu. Finalement, quand j'ai été capable de parler, je lui ai avoué: «Je n'arrive pas m'en remettre. Je ne peux tout simplement pas.»

«Pourquoi le voudrais-tu?» a-t-elle dit d'une voix douce et gentille.

«Parce que, ai-je répondu, c'est ce qu'on doit faire. S'en remettre, passer par-dessus, poursuivre sa route, disent les gens.»

«Tu viens pourtant de me dire que tu ne peux pas faire ça. Et tu as raison. Nous devons plutôt faire de la mort de Jim une partie de nous, comme ce le fut de son vivant. Tu dois le prendre en toi-même. Le respirer en toi. Prends-la dans ton âme et laisse-la te refaire. Un jeune homme qui a perdu son meilleur ami est un jeune homme bien différent de celui qui n'a jamais vécu une telle chose.»

Ce qu'elle m'a dit m'a frappé avec une telle clarté que j'ai soupiré et que je me suis redressé. La lumière du soleil éblouissait la surface de l'eau sous nous. Et, pour la première fois depuis longtemps, je pouvais voir une fois de plus mon ami… je pouvais voir à quel point il avait façonné ma vie et comment il en ferait toujours partie.

Nous sommes restés assis ensemble un long moment. Puis, la mère de Jim a tapoté ma main et a dit: «Biscuits?» Nous avons marché dans la plénitude de la journée, entre les haies et les plants de carottes sauvages, passé les champs de maïs en pleine croissance, jusqu'à la maison de ferme sur la colline, là où j'ai tant appris sur l'amour.

Walker Meade

Ceux qui vous ont aimé et que
vous avez aidés se souviendront de vous.
Alors, gravez votre nom sur les cœurs
et non sur le marbre.

C.H. Spurgeon

Le match inaugural au paradis

Match inaugural – deux mots qui évoquent des souvenirs de saisons lointaines et de journées de détente passées entre des pères et leurs fils dans les stades de baseball à travers toute l'Amérique. C'est un jour merveilleux et libérateur quand tout le monde est de nouveau jeune, que le printemps est dans l'air et que tout est frais et nouveau !

Mais, je ne suis plus certain que ces journées d'ouverture seront à jamais les mêmes pour moi.

En septembre dernier, ma femme et moi regardions avec incrédulité le médecin nous annoncer que notre fils, Mickey, était atteint d'une forme rare de cancer du cerveau, appelé *gliome pontique*, et qu'il avait à peine quelques semaines à vivre.

Ça ne pouvait pas arriver à lui. Il était en si bonne santé, fort et plein de vie ; ce devait être quelque chose d'autre qui lui causait sa soudaine maladresse et sa perte d'équilibre. C'était impossible qu'un enfant normal n'ait aucun symptôme un jour et qu'il soit en phase terminale le lendemain.

En seulement cinq courtes semaines, nous avons découvert que nous avions tort. Notre fils de cinq ans est décédé le 16 octobre 1999.

Au moment de sa mort, le baseball commençait seulement à avoir une certaine signification dans sa vie et le souvenir de sa dernière partie a complètement changé ma perspective de ce sport, dont j'étais tombé amoureux trente-cinq ans plus tôt.

Mickey a vu les Yankees lorsqu'ils sont venus jouer dans notre ville, ainsi que Mark McGwire, mais c'est la mascotte Phillie Phanatic qui a exercé le plus de fascination sur lui.

Il m'écoutait raconter encore des histoires innombrables à propos de mon défunt père qui avait vu Babe Ruth et Lou Gehrig dans les années 1920 et qui, pour mon dixième anniversaire de naissance, m'avait présenté à Mickey Mantle. Je lui ai parlé d'une nuit d'octobre magique au Yankee Stadium, lorsque Reggie Jackson a frappé trois circuits durant la sixième partie des Séries mondiales de 1977. Mais Mickey, lui, voulait absolument rencontrer la mascotte Phanatic.

Pour le dernier match de la saison, une banque du quartier a fait le nécessaire pour que notre famille soit leurs hôtes dans la luxueuse loge de la firme. J'ai contacté les Phillies de Philadelphie et, en une heure, Mickey avait un rendez-vous avec la verte mascotte joufflue.

À la cinquième manche d'une partie sans importance, Mickey a enfin vu son souhait exaucé.

La visite n'a duré que quelques minutes, mais je ne l'avais jamais vu aussi excité et animé. Je n'ai pu m'empêcher de penser que j'avais probablement eu le même regard lorsque j'ai rencontré Mickey Mantle.

Pendant quelques minutes, nous avons presque oublié ce qui nous attendait inévitablement.

Ensuite, nous sommes retournés nous installer pour regarder le reste du match. Après d'innombrables sodas et des bretzels, j'ai amené mon garçon à la toilette des hommes. Alors que je l'aidais à rentrer sa chemise dans son pantalon, il m'a dit avec la voix la plus lasse du monde : «Papa, c'est ma dernière partie.»

«Ne dis pas ça, Mickey, ai-je répliqué. Il y aura plein d'autres parties. Tu vas voir.»

«Non, papa...». Sa voix s'est estompée. Puis, soudain, l'air de nouveau jeune, il a demandé : «Y a-t-il du baseball au ciel ?»

«Bien sûr qu'il y en a, mon ami», ai-je répondu, tentant de garder mon sang-froid. «Et tous les grands joueurs sont là. Ça doit être quelque chose à voir !»

«Crois-tu que grand-papa va m'emmener voir une partie ?» demanda-t-il.

Pardonnez-moi, aujourd'hui, si je saute le décompte des points dans l'édition de demain – parce que la partie qui m'intéresse n'obtiendra pas beaucoup de couverture médiatique. C'est le match inaugural au paradis.

J'espère que Babe et Mickey frappent quelques coups de circuit pour le petit garçon avec un gros bretzel chaud, et qu'il est assis à côté de mon père dans la loge.

Mike Bergen

Jamais doué pour les au revoir

«Papier ou plastique?»

C'était une voix familière que j'entendais une fois par semaine. Son nom était Frank et, pour gagner sa vie, il remplissait les sacs de la seule épicerie de notre petite ville rurale de la Caroline du Sud. On le voyait rarement sans sa casquette de baseball et son sourire en coin.

«Plastique fera l'affaire.»

C'était le début de chacune de nos conversations lors de mes visites hebdomadaires. À son propre rythme, il plaçait toutes mes provisions dans des sacs de plastique blancs, pendant que j'attendais patiemment pour le suivre à l'extérieur. J'étais très consciente de la claudication qu'il essayait tant bien que mal de cacher. Il était dans la fin de la vingtaine et quelque peu déficient. Durant nos conversations, il se répétait et ensuite il riait. Nous fréquentions la même église, mais quand on se voyait là-bas, je ne lui disais jamais grand-chose de plus qu'un bonjour. C'était durant mes visites à l'épicerie que nous partagions le plus de temps.

J'étais stupéfaite de voir le calendrier social que tenait Frank. Je savais qu'il était toujours fidèle à son église; il n'avait jamais manqué une messe. Il me parlait de ses visites au YMCA du quartier et des parties de baseball qu'il ne voulait pas manquer. Lorsque tous mes sacs d'épicerie étaient dans la voiture, il s'attardait dans le stationnement jusqu'à ce que, finalement, il me donne une étreinte chaleureuse qui me jetait presque à terre. Frank n'a jamais été doué pour les au revoir. Je l'embrassais sur la joue en lui promettant de le revoir le dimanche.

Un très chaud matin d'été, je faisais ma visite hebdomadaire à l'épicerie, mais dès que je suis entrée à l'intérieur, j'ai senti que quelque chose n'allait pas du tout. Au lieu d'être accueillie par des «bonjours» matinaux et des commis joyeux, je n'ai vu que des têtes basses et plusieurs employés qui pleuraient. J'ai tout de suite cherché Frank, sachant qu'il me dirait ce qui se passait. Ne le voyant pas remplir les sacs d'épicerie, alors j'ai assumé qu'il faisait l'inventaire des étagères. Je l'ai cherché dans toutes les allées. Arrivée dans la dernière allée, mon rythme cardiaque s'est subitement accéléré et ma gorge s'est serrée. Je me suis doucement rendue vers un petit bureau à l'arrière de l'épicerie et j'ai vu un homme plus âgé qui pleurait, la tête baissée. J'ai mis ma main sur son dos pour le réconforter et, entre ses sanglots, j'ai entendu un strident: «Oh, Frank!»

Mon cher ami Frank s'était noyé lors d'un voyage de pêche. Mon cœur n'avait jamais éprouvé autant de tristesse. Je voulais dire au monde entier comment ce jeune homme m'avait remonté le moral lors de si nombreuses journées difficiles.

L'après-midi de ses funérailles, je m'y suis présentée pour soutenir les membres de sa famille même si nous ne nous étions jamais rencontrés. Je ne m'attendais pas à ce qu'il y ait foule, parce que

Frank était un homme simple. Mais, en arrivant dans le stationnement de mon église, j'ai été stupéfaite d'avoir peine à me trouver une place de stationnement.

Une fois entrée dans l'église, j'ai eu le dernier siège dans la dernière rangée. J'ai entendu les placiers, derrière moi, dirent à d'autres personnes anxieuses qu'il y avait une section pleine à craquer dans une autre partie de l'édifice. Il était évident que les gens autour pensaient tous la même chose que moi. *Pourquoi y a-t-il tant de gens ici pour assister aux funérailles de Frank? C'est comme si nous allions à l'enterrement d'une personne célèbre ou d'un chef politique.* Une demi-heure après le début prévu des funérailles et après que tout le monde se soit enfin assis, le pasteur a roulé ses manches et, lentement, s'est dirigé vers la chaire. Il se tenait là, silencieux, comme s'il tentait de retrouver son calme. Des larmes coulaient sur ses joues, et juste au moment où il s'apprêtait à prendre la parole, une personne se leva deux rangées devant moi. C'était un grand homme costaud qui devait mesurer plus de 1,80 mètre.

«Je voudrais juste dire que Frank venait dans mon magasin trois fois par semaine avec un seau et du savon. Il nettoyait mes salles de bain jusqu'à ce qu'elles brillent et il n'a jamais voulu accepter le moindre sou. Je ne l'oublierai jamais.» Il s'est rassis sans tenter de cacher ses larmes.

Puis, quelqu'un d'autre s'est levé. C'était une vieille dame qui se tenait avec une canne. «Chaque fois que j'allais à l'épicerie, Frank mettait ce petit papier dans mon sac.» Elle retira de son sac à main une petite carte déchirée. «C'était toujours écrit: *Merci d'être si gentille.*»

Un jeune garçon, pas plus grand que le banc devant lequel il se trouvait, a dit fièrement: «Frank est venu à toutes mes parties de baseball, même si je ne jouais pas.»

Ce jour-là, les histoires se sont répétées les unes après les autres. Les funérailles ont duré plus de quatre heures, et plusieurs personnes s'attardaient pour honorer la mémoire d'un homme si remarquable. Même la famille de Frank n'avait aucune idée de la vie qu'il avait menée; il était juste un «bon garçon», de dire sa mère et son père. Cette journée-là, plusieurs d'entre nous ont été changés à jamais.

Frank n'a jamais été doué pour les au revoir, mais ce jour-là, il s'est surpassé.

Amanda Dodson

5

MOMENTS SPÉCIAUX

Chacun de nous est né pour
une raison et un but spécifiques,
et chacun de nous mourra quand il aura
accompli ce qu'il avait à accomplir.
L'entre-deux dépend de notre propre
volonté à tirer le meilleur de chaque
journée, de chaque moment
et de chaque occasion.
Le choix est toujours le vôtre.

Elisabeth Kübler-Ross

Des traînées de nuages de gloire

La mort a de nombreux secrets et j'en connais peu ou pas. Cependant, on m'a donné une histoire à raconter – une histoire à propos d'une époque où le voile épais du mystère s'est déchiré juste un peu, puis s'est refermé de nouveau.

Un aperçu qui a déclenché toute une vie de foi.

C'est arrivé environ un mois après mon trentième anniversaire. L'année scolaire venait de prendre fin, et je terminais mes rapports de notes finales pour mes étudiants. La maison était dans un désordre épouvantable et ma valise était à moitié faite. Deux jours plus tard, j'allais m'envoler pour la Californie. Mon père était malade depuis plusieurs mois et sa voix, au téléphone, semblait de plus en plus faible. C'était une bonne idée d'aller le voir le plus tôt possible afin de conclure des choses. Agréablement et soigneusement.

Puis, cette nuit-là, peu avant l'aube, sans bouger un doigt ou contracter une seule paupière, je me suis soudain éveillé d'un profond sommeil, comme un galet énorme flottant à la surface de la mer. Je ne me suis pas réveillé dans le sens habituel du terme. En fait, j'étais éveillé mais pas réveillé. C'est difficile à expliquer. Je me suis tout simplement retrouvé… quelque part. À parler avec quelqu'un. Quelqu'un de grand et de merveilleux. Je ne savais pas qui il était, ni comment j'étais arrivé là. Je ne pensais vraiment pas du tout. Je ressentais simplement de la chaleur et de l'amour, de la sécurité et de la paix. Et je ne pouvais pas voir davantage qu'une silhouette, qu'une ombre. Mais j'ai entendu une voix, une voix imposante. Elle a dit: *Bonjour. Tu m'as manqué. Je t'aime.*

La rencontre a duré plusieurs minutes, et les émotions sont encore vives à ce jour. Comme un lionceau se faisant lécher avec affection, je flottais dans la béatitude.

Puis, j'ai replongé dans le sommeil. Lorsque je me suis réveillé dans le soleil matinal, je me rappelais très clairement la visite avant l'aube. Je m'étais réveillé en retard. Le réveille-matin n'avait pas sonné – mon horloge électrique s'était arrêtée.

Le moment précis de la défaillance mécanique était facile à voir: trois heures moins quart. Les aiguilles s'étaient arrêtées aux chiffres neuf et trois; ouvertes comme des bras prêts à l'étreinte.

Environ une heure plus tard, j'ai reçu l'appel téléphonique. C'était ma mère. Mon père était décédé très tôt ce matin-là.

Cette nouvelle m'a frappé comme une explosion. Après le choc initial, j'ai réalisé ce qui était arrivé pendant mon sommeil. Je me suis tourné de nouveau vers le réveille-matin. Il s'était arrêté au moment même où mon père était décédé.

Mon père s'était arrêté pour me visiter avant de sortir de cette dimension.

Pour la première fois de ma vie, j'ai expérimenté ce que les Hawaïens appellent *He ho'ike na ka po* – une révélation de la nuit. Ils croient que le rêve peut être un pont entre ce monde et le suivant.

Dans le contexte des rêves ordinaires, j'ai toujours considéré cette notion vague et sentimentale.

Mais ce que j'ai vécu n'était pas un rêve ordinaire. La rencontre était vive et claire, et le message de mon père était si rassurant que je suis ému de le partager avec vous. *Je suis heureux,* m'a-t-il dit d'une voix sans paroles. *Quel soulagement d'être libéré de ce corps... de m'étendre si librement... de devenir si large. Je ne peux en dire beaucoup, il n'y a qu'un moment pour se présenter à la réception, mais – wow! Pourrais-tu juste me regarder?*

Mais je ne pouvais pas le regarder, parce que mes yeux étaient incapables de s'ajuster au royaume céleste qu'il habitait désormais.

Après cela, je ne me suis pas inquiété pour mon père. Je savais qu'il vivait quelque chose à propos de la mort, quelque chose de gros. Et il s'était fait un point d'honneur de s'arrêter pour le partager un peu avec moi. En fait, pendant un moment, il m'a même entraîné avec lui.

Au moment d'écrire ces lignes, j'ai relu ce fameux texte de Wordsworth, *Intimations of Immortality*:

> *Nous ne sommes ni dans l'oubli complet ni dans la nudité totale, mais nous venons de Dieu, notre maison, en traînées de nuages de gloire.*

Quand mon père a navigué vers moi, je me suis retrouvé dans les nuages de gloire qu'il traînait derrière lui, et j'ai pu regarder à travers cette porte. Ce que j'ai vu et ressenti est quelque chose que je ne peux exprimer clairement.

Mais j'ai commencé à voir que les mystères de la vie et de la mort se résument à tellement plus que je n'avais jamais imaginé.

J'ai conservé le petit réveil électrique dans mon placard. Mais, cinq ans plus tard, quelqu'un a tenté de le faire fonctionner de nouveau.

J'avais engagé une femme de ménage, et elle s'est vouée à la tâche avec une ambition vorace. Elle a passé l'aspirateur sur le sommier du lit et sablé le siège de toilette pour ne pas que je glisse au milieu de la nuit. Elle est allée dans mon placard, a repassé mes chaussettes et relacé tous mes souliers. Puis, elle a trouvé le réveille-matin.

Le soir, lorsque je suis revenu à la maison, j'ai vu mes bas repassés et la texture du siège de toilette. Puis, j'ai vu le souvenir d'adieu de mon père. Le petit réveille-matin en plastique bon marché était sous le lit, où elle l'avait branché pour essayer de le faire fonctionner de nouveau. Elle avait tenté d'ajuster l'heure afin qu'elle n'indique plus trois heures moins quart. Désormais, ce réveil n'avait plus rien de significatif. Et il ne fonctionnait toujours pas. Désormais, au lieu d'être une relique sacrée, il n'était plus qu'une vieillerie.

Je me suis fait une note mentale de le jeter, mais je l'ai ensuite oublié.

Trois jours plus tard, je me suis souvenu du réveille-matin et j'ai de nouveau regardé sous le lit.

Il était là. Je ne sais trop comment, il s'était réglé au temps qu'il voulait proclamer, soit trois heures moins quart.

Mes sourcils se sont soulevés d'étonnement. Mon cerveau tentait d'expliquer ce que j'éprouvais, mais il ne le pouvait pas. Alors, j'ai débranché le réveil, je l'ai apporté à mon lieu de travail et placé sur l'étagère au-dessus de mon bureau, où il se trouve encore aujourd'hui.

Chaque fois que je le vois, je me souviens.

Et c'est tout ce que j'ai à dire sur le sujet de la mort.

Paul D. Wood

THE FAMILY CIRCUS®, par Bil Keane

« Grand-maman dit que ce n'est pas grave si cette vie n'est pas éternelle, la prochaine le sera. »

Le séjour à la plage

Ce n'était pas un voyage typique à Carolina Beach. Oh ! J'avais bien la glacière, la chaise et la serviette de plage, mais ce n'était pas la même chose. Je n'allais pas à la plage pour relaxer – j'allais me souvenir de mon fils Cameron, qui est mort d'une leucémie en mars 1998. Mon fils Cameron, en ce jour, aurait eu vingt et un ans.

J'ai décidé de me rendre dans un secteur favori de Carolina Beach – celui à une distance de marche d'un McDonald (au cas où vous vous lasseriez de la plage et que vous aimeriez avoir des frites).

Il est typique que les jeunes enfants soient attirés par moi. Peut-être est-ce parce que je leur souris, peut-être à cause des frites, mais ça se produit. Alors, je n'ai pas été surprise qu'un tout-petit couvre mes pieds de sable et qu'un autre joue avec ses jouets, juste à côté de ma chaise de plage. Leurs parents étaient assis derrière moi et les deux garçons ont passé une heure à courir, de ma chaise à leurs parents et vice versa.

« Quel est ton nom ? » ai-je demandé au plus vieux.

« Alex. Et j'ai cinq ans. »

« Oh ! J'ai un fils qui se nomme Alex. Il a douze ans. »

Il a continué à couvrir mes pieds de sable jusqu'à ce que ses parents passent devant nous pour aller vers le bord de l'eau.

«Je vais avec mes parents.»

«D'accord.»

«Mon petit frère DÉTESTE l'eau – il n'y va jamais.»

«Ça va. Je vais le surveiller pendant que tu vas dans l'eau avec ton père et ta mère.»

Le plus petit garçon, environ un an et demi, a observé son frère s'enfuir, s'est tourné vers moi et a tendu les bras. Évidemment, je l'ai pris, je l'ai assis sur mes genoux et je lui ai offert quelques frites. Nous avons envoyé la main à la famille, mangé des frites et simplement relaxé.

Soudain, il a glissé de mes genoux, il m'a pris la main et m'a tirée vers l'eau. J'ai marché avec lui jusqu'au bord et il a rigolé quand l'eau a léché ses pieds. Lorsqu'une plus grosse vague est venue frapper encore plus fort ses jambes, il a commencé à rire. Je l'ai soulevé, je l'ai fait tournoyer, je l'ai appuyé sur ma hanche et j'ai marché vers son père et sa mère.

«Quel enfant mignon!» ai-je mentionné.

«Oh! Mais il a vraiment peur de l'eau. Je ne peux vraiment pas croire qu'il est dans l'eau.»

Je leur ai dit qu'il avait pris ma main et m'avait tirée lui-même dans l'eau. «J'ai dit à votre fils Alex que j'ai un fils du nom d'Alex à la maison. Votre tout-petit est si mignon. Quel est son nom?»

«Cameron.»

Et mon cœur a cessé de battre. J'ai regardé dans les yeux de ce petit garçon, il m'a regardée en retour, puis a touché mon visage.

Merci, Cameron.

Dawn Holt

Je choisis encore «maman»

Les yeux embrouillés, j'ai regardé mon mari, Chuck, s'éloigner avec son ex-femme.

La lourdeur dans notre cœur était presque intolérable. Me retournant vers le cercueil de mon beau-fils, j'ai aidé mes enfants à cueillir une rose de sa gerbe de fleurs pour la presser dans leur Bible. Avec des larmes coulant sur mon visage, j'ai posé ma main sur la gerbe de fleurs de mon beau-fils. Je ne savais plus où était ma place.

J'ai crié silencieusement: *Dieu, quelle était ma place dans la vie de Conan?*

Dès le moment où j'ai rencontré mon beau-fils, j'ai été émerveillée devant ce petit garçon angélique dont les cheveux blonds lumineux semblaient luire d'un éclat céleste. À l'âge de seulement un an et demi, il était bâti comme un enfant de trois ans. Solide et costaud, il dormait en boule dans mes bras, son petit cœur battant contre le mien, éveillant ainsi un lien maternel en moi.

En moins d'un an, je suis devenue la belle-mère de Conan et de sa sœur aînée, Lori. Peu de temps après, une visite chez le médecin m'apporta des nouvelles décourageantes.

«Vous souffrez d'un problème d'infertilité, me mentionna le médecin. Il se pourrait bien que vous n'ayez pas d'enfants à vous.»

À mon âge, vingt-deux ans, cette nouvelle était bouleversante. J'avais toujours voulu être mère. Soudain, j'ai compris qu'être une belle-mère serait le rôle le plus près de celui d'une mère que j'aurais. Alors, je me suis impliquée encore plus à fond dans leur vie.

Mais, heureusement, quatre ans plus tard, nous avons appris avec joie que j'étais enceinte. Chase est née et, deux ans après, nous avons été bénis par l'arrivée de notre fille Chelsea.

J'ai aimé être une mère et une belle-mère, mais comme dans toute famille recomposée, il y avait des hauts et des bas. L'ex-femme de Chuck avait la garde de ses enfants et leur donnait plus de liberté que nous en offrions aux nôtres. En restant cohérents dans nos règles, je suis certaine que nous semblions trop stricts avec ses enfants. Lorsqu'ils nous visitaient les fins de semaine, je me sentais comme une vieille mégère.

Comme seconde épouse, j'étais jalouse de la mère de mes beaux-enfants. Je me plaignais d'elle et de son mari à portée de voix de mes beaux-enfants et je grommelais même sur les extras à acheter pour eux, en plus d'avoir à payer une pension alimentaire. Quelque part, je négligeais un point important, celui que mes beaux-enfants étaient des êtres innocents précipités dans une famille recomposée.

Puis un jour, lors d'une réunion de ma propre famille, j'ai vu ma mère se lever et aller vers ma belle-mère pour lui donner une étreinte. En me retournant, j'ai vu mon père et mon beau-père rire ensemble. Ayant toujours apprécié les relations de coopération que mes parents et beaux-parents avaient, j'ai compris que les enfants de Chuck aspiraient à la même chose. Alors Chuck et moi avons décidé de travailler fort à combler le fossé plutôt qu'à le créer.

Ce ne fut pas facile et les changements ne se sont pas produits du jour au lendemain. Lorsque Conan a atteint ses quinze ans, la paix s'était enfin installée entre parents et beaux-parents. Plutôt que de grogner à propos de la pension alimentaire, nous l'avons volontairement augmentée. Finalement, la mère de Conan nous a remis des copies des bulletins de son fils et de ses horaires de football.

J'étais fière de mes enfants et de mes beaux-enfants. Après l'obtention de son diplôme, ma belle-fille s'est mariée et, avec son mari, ils se sont construit une maison. À dix-sept ans, Conan était devenu un jeune homme sensé et intelligent. Avec son allure à faire tourner les têtes et une voix profonde de baryton, je me demandais quelle fille chanceuse saurait conquérir son cœur.

Mais, cet appel est venu, changeant notre vie à jamais – Conan avait été tué instantanément par un conducteur en état d'ébriété.

Durant toutes nos années de mariage, Chuck m'a toujours assurée que j'étais une mère pour ses enfants. Il demandait mon avis sur des sujets les concernant et comptait sur moi pour rendre leur Noël et leur anniversaire spéciaux. J'adorais faire cela et je me considérais comme leur seconde mère.

Mais dans son chagrin, immédiatement après la mort de Conan, Chuck a soudainement cessé de me demander mon avis et a commencé à se tourner vers son ex-épouse. Je savais qu'ils avaient de nombreuses décisions finales à prendre ensemble et j'ai réalisé, plus tard, qu'il cherchait à m'en épargner les détails horribles. C'était la première fois que je commençais à me sentir comme une étrangère plutôt qu'un parent.

Je savais aussi que le conducteur responsable de l'accident devait être poursuivi en justice, ce qui signifiait que Chuck et son ex-épouse auraient à rester en contact. Ces répugnantes jalousies du passé ont commencé à refaire surface lorsque, soir après soir, il lui parlait, discutant rarement de leurs conversations avec moi.

Et j'étais blessée quand des amis demandaient comment Chuck vivait son deuil ou qu'ils envoyaient des messages de condoléances adressés seulement à son attention, m'oubliant ainsi que nos deux enfants. Certains dévaluaient mon deuil parce que j'étais «seulement» une belle-mère. Est-ce que quelqu'un réalisait ma perte et ma douleur? J'avais éprouvé de forts sentiments maternels pour Conan; il me considérait comme sa deuxième mère – était-ce bien cela? Alors que les semaines se transformaient en mois, cette question m'a hantée, dominant mes pensées. J'étais poussée malgré moi à comprendre quel avait été mon rôle.

J'ai fouillé dans les boîtes de photos et sorti de vieux journaux personnels, cherchant des souvenirs dans la maison et même des décorations qu'il avait faites pour Noël.

J'ai retrouvé plusieurs extraits réconfortants dans son journal personnel, un qui décrivait les appels téléphoniques qu'il me faisait lors de la fête des Mères et un autre quand il m'offrit un magnifique poinsettia blanc à Noël. J'ai chéri les photos me ramenant de vieux souvenirs – ses étreintes aimantes et chaleureuses après lui avoir préparé son repas favori, ou tout simplement un baiser pour avoir fait son lavage. Cependant, même si tout cela était réconfortant, ce n'était pas suffisant.

Presque une année après son décès, lors d'une belle journée de printemps, je caressais avec amour la rose que j'avais cueillie près de son cercueil et que j'avais conservée dans ma Bible. Soudain, j'ai ressenti un appel impératif d'aller visiter sa tombe, seule. Je ne l'avais jamais fait auparavant, mais j'avais désespérément besoin de réponses.

En arrivant près de la tombe, je me suis souvenue que Chuck avait mentionné que la pierre tombale permanente était arrivée récemment. Chuck avait demandé à la mère de Conan de choisir celle qu'elle voulait. En regardant de plus près la surface de marbre brillante, j'ai remarqué qu'elle avait choisi un emblème de sport en bronze, avec une photo de Conan intégrée de façon permanente sous une épaisse couche de verre.

Je me suis penchée et j'ai passé amoureusement mes doigts sur son nom gravé et sur les dates commémorant son court séjour sur terre. À travers un nuage de larmes, les souvenirs d'un jeune garçon turbulent et aimant s'amuser ont jailli et rempli mon cœur. L'enfant que j'avais materné à temps partiel pendant tant d'années n'était peut-être pas issu de mon corps, mais j'avais été choisie par Dieu pour offrir une influence maternelle dans sa vie. Pas pour prendre la place de sa mère, certes, mais pour être juste à un «pas» de lui. Je me suis sentie soudain très honorée d'avoir été choisie.

«Ce fut un privilège d'être ta belle-mère», ai-je dit en me penchant pour embrasser sa photo.

Enfin, un sentiment de paix commençait à s'installer en moi. Avec un profond soupir, je me suis levée, mais au moment où je me tournais pour quitter les lieux, le soleil a inondé le bout de la pierre tombale, me forçant à regarder de nouveau.

«Oh, mince alors! Comment ne l'avais-je pas aperçu avant?»

Le contour entier de la pierre tombale était couvert de tiges de blé d'or... exactement comme une épinglette – une tige de blé en or – que Conan m'avait donnée des années plus tôt. Des frissons ont parcouru mon dos de haut en bas. Je n'avais pas revu cette épinglette depuis des années.

Il s'agissait du lien manquant, je le savais tout simplement. Et je *devais* trouver cette épinglette.

Le retour à la maison reste flou. J'étais tellement excitée. Je me suis rendue dans ma chambre à l'étage et j'ai ouvert ma boîte de bijoux. Où était-elle? Vidant le contenu sur mon lit, je l'ai cherchée frénétiquement à travers les épinglettes, les boucles d'oreilles et autres.

Rien.

Mon Dieu, cela est important. S'il vous plaît, aidez-moi à la trouver, priai-je.

Délaissant le lit, je me suis sentie attirée vers ma commode. J'ai fouillé et cherché un après l'autre dans les tiroirs, mais sans succès, jusqu'à ce que, finalement, dans le dernier, je la trouve dans le fond. C'était une petite boîte blanche avec mon nom griffonné sur le dessus avec une écriture d'enfant. En l'ouvrant, je suis immédiatement retournée dans le temps.

Conan avait environ dix ans et c'était le soir avant notre départ en Floride pour les vacances. Il venait avec nous et je faisais les valises dans ma chambre lorsque j'ai entendu frapper à ma porte. Conan se tenait là, les yeux baissés et les mains dans le dos.

«Qu'y a-t-il, fiston?» ai-je demandé, inquiète par sa visite inattendue.

Traînant les pieds, il a rapidement marmonné: «Je ne sais pas pourquoi je ne t'appelle pas *maman* plus souvent, même si j'appelle mon beau-père *papa*.»

Je l'ai serré dans mes bras et je l'ai assuré qu'il était libre de m'appeler par le nom qui serait le mieux pour lui. Puis soudain, avec un sourire unique sur son visage joufflu, il m'a tendu la petite boîte blanche.

«Tu choisis», a-t-il dit avant de sortir en trombe de la chambre.

Je l'ai ouverte en assumant que je trouverais deux articles dans la boîte. J'ai plutôt trouvé une seule épinglette en or en forme de blé qu'il avait achetée avec son argent de poche dans une vente-débarras.

Il avait gribouillé ces mots à l'intérieur du couvercle de la boîte: «Je t'aime. À maman ou Connie.»

Cela s'est passé il y a près d'une décennie, et pourtant, quand j'ai ouvert le contenu de ma boîte à bijoux et que je me suis assise lentement sur le bord du lit, c'était comme hier.

Merci, Seigneur, de m'avoir permis de retrouver cette épinglette et, ainsi, d'avoir bouclé définitivement la boucle.

Essuyant les larmes sur mon visage, j'ai pensé à un petit garçon angélique dont le cœur bat près du mien.

Je choisis encore «maman».

Connie Sturm Cameron

Ballerines

Mon père était un bel homme grand et robuste aux cheveux noirs, avec de doux yeux bruns. Son nom était Bernard et il était un pêcheur passionné. Il avait l'habitude de nous emmener, mes frères et moi, pêcher à bord d'une chaloupe sur un lac ou sur la rive d'un cours d'eau ayant peu de courant. Il tenait un magasin d'articles de pêche en plein Manhattan. Le magasin n'a jamais connu un grand succès, alors, afin de boucler ses fins de mois, il vendait de magnifiques peintures qu'il avait faites, et ce, sans avoir suivi une seule journée de formation.

Je me rappelle encore vivement les innombrables heures heureuses que j'ai passées, petite fille, dans le minuscule studio de mon père, à le regarder poser son pinceau sur la toile. *C'est comme de la magie,* me disais-je, en pensant à la façon dont il pouvait transformer une petite quantité de couleurs en des portraits saisissants, des natures mortes ou des paysages marins.

Un de mes tableaux favoris était une scène de ballet qu'un ami avait commandé à mon père pour offrir en cadeau d'anniversaire à son épouse. Pendant des années, la peinture est restée accrochée à une place de choix dans le salon de leur élégante résidence de New York. Chaque fois que nous allions leur rendre visite, je me tenais devant ce tableau, fascinée par sa beauté, pratiquement convaincue qu'à tout moment les gracieux danseurs prendraient vie devant mes yeux.

Finalement, le couple a déménagé et nos familles ont perdu contact. Mais, au fil des ans, le tableau a continué d'occuper une place importante dans mon cœur.

Mon père n'avait jamais beaucoup d'argent, mais il parvenait toujours à m'acheter les plus belles robes ou à m'amener déguster des sodas avec de la crème glacée durant les après-midi d'été étouffants. Le jour où mon petit chien est mort, il m'a tenue dans ses bras pendant que je sanglotais. Et quand j'étais malade au lit avec la grippe, il m'apportait des délices.

Je me sentais si belle le jour de mon mariage lorsque j'ai descendu l'allée au bras de mon père. Il est devenu un grand-papa aimant follement mes trois enfants, Tracy, Binnie et David. Un jour, à l'âge de trois ans, Tracy lui a fait un dessin et papa l'a mis dans son portefeuille en lui disant qu'il le garderait toujours avec lui. «Ce garçon va devenir un véritable artiste; attendez et vous verrez», a-t-il prédit.

J'avais seulement trente ans lorsque mon père est décédé. Je me suis sentie si seule et à la dérive. «Je ne suis pas prête à le laisser partir», ai-je dit à ma mère en sanglotant, le soir de ses funérailles.

Mon père m'a terriblement manqué. Il y avait tant de choses que je voulais partager avec lui. Il aurait été fier de moi lorsque je suis retournée aux études et que je suis devenue professeure d'anglais, après que mes enfants sont devenus grands. Il aurait été gonflé d'orgueil quand David est devenu un dentiste, quand Binnie a publié son premier livre pour enfants et, plus particulièrement, lorsque Tracy a accompli la prédiction de son grand-papa en devenant un artiste couronné de succès.

Mes amis et ma famille me répétaient sans cesse : « Ton père est constamment avec toi. Du paradis, il veille sur toi. » Plus que tout, j'aurais voulu les croire. Mais jamais, au fil des ans, je n'ai ressenti la présence de mon père.

En feuilletant les albums de photos de famille, je murmurais tristement : « Il est parti. Tout ce qu'il me reste de papa, ce sont beaucoup de souvenirs heureux. »

Puis, la tragédie a frappé. Des douleurs pelviennes m'ont amenée à consulter un médecin et les résultats des tests sont revenus positifs : j'avais un cancer des ovaires. Le diagnostic m'a paru comme une condamnation à mort.

Les chirurgiens ont enlevé la plus grande partie de mon cancer, mais ils n'ont pu le retirer complètement. « Vous aurez besoin de plusieurs mois de chimiothérapie et, malgré cela, je ne peux vous faire aucune promesse », m'expliqua honnêtement l'oncologiste.

Ma famille m'a entourée de son aide et de son soutien. « Nous allons traverser ça ensemble », m'a assurée mon mari, Barney. La chimiothérapie était tellement forte. Un professeur suppléant a dû terminer mon année scolaire et commencer la session d'automne pendant que j'étais allongée des semaines d'affilée. J'étais si frêle que je ne pouvais me rendre à la salle de bain sans trébucher ou sans m'efforcer de ne pas perdre conscience.

J'ai souvent pensé, en quittant l'hôpital après encore une autre infusion de produits chimiques dans mon corps, qu'il serait peut-être préférable pour moi de me jeter devant une voiture en mouvement. J'éprouvais une nostalgie profonde de ces jours si lointains où je pouvais me lover dans les bras forts de mon père et me sentir en sécurité et protégée de tout danger. Je ne sais comment, mais j'ai survécu à la chimio. Par contre, je ne pouvais pas dormir la nuit, inquiète de savoir si j'avais survécu aussi au cancer. Quelques semaines avant l'Action de grâce, je suis allée passer un scanner et suis retournée à la maison, attendant anxieusement les résultats. Le jour précédant celui où j'allais apprendre si je vivrais ou mourrais, j'ai reçu un appel téléphonique de mon frère Robert: «Tu ne croiras jamais ce qui m'est arrivé aujourd'hui!» Et au moment où il terminait son récit miraculeux, des larmes de joie coulaient le long de mes joues.

Chaque dimanche, Robert se rend dans un marché d'antiquités en plein air dans Greenwich Village, espérant ajouter des navires de croisière à sa collection. «Tu étais tellement présente dans mes pensées aujourd'hui, me dit-il. Je priais pour toi, mais j'espérais toujours pouvoir faire quelque chose de plus.» Puis, à une dizaine de mètres de distance, Robert a repéré une peinture tout de suite familière malgré les cinquante années qui s'étaient écoulées depuis qu'il l'avait vue la dernière fois, accrochée au mur du salon de nos amis. «Je n'ai même pas eu besoin de lire la signature pour savoir que c'était la peinture de ballerines de papa, me dit-il. Je me suis toujours rappelé à quel point tu l'aimais. Je l'ai achetée aussitôt, tellement impatient de me rendre à la maison pour te téléphoner et t'annoncer la nouvelle.» Pendant que Robert me défilait son récit, une chaleur radieuse a rempli mon âme.

Pour la première fois depuis la mort de mon père, j'ai senti sa présence. «Oh, papa! ai-je pensé, ravie. Tu as vraiment veillé sur moi du paradis et maintenant tu me reviens pour être mon ange gardien!» Après avoir raccroché le récepteur du téléphone, j'ai donné une étreinte débordante de joie à Barney, mon mari.

«Ce n'est pas une coïncidence que Robert ait trouvé cette peinture aujourd'hui.» Je pleurais des larmes de joie. «Mon père savait combien j'avais besoin de lui et il a trouvé un moyen très spécial de me laisser savoir que tout irait bien. Mon cancer est vraiment parti.»

Le lendemain matin, j'ai téléphoné pour obtenir mes résultats d'examen, mais je savais déjà la réponse. «Vous ne semblez pas du tout surprise», me dit le médecin après m'avoir informée que mon cancer avait complètement disparu.

«Mon ange gardien me l'a déjà annoncé», lui ai-je expliqué, joyeusement.

Ces jours-ci, chaque fois que je pose les yeux sur la superbe peinture de mon père, je pense à quel point j'aimais cet homme et je me souviens de toutes les fois où j'ai tant désiré qu'il soit là pour partager avec lui mes joies et mes peines.

Mon père ne m'a jamais vraiment quittée. Je le sais maintenant. Il a été avec moi durant toutes ces années et il veille encore sur moi, m'aimant et me protégeant comme il y a très longtemps, quand j'étais une petite fille.

Ferne Kirshenbaum,
tel que raconté à Bill Holton

THE FAMILY CIRCUS®, par Bil Keane

« ... et dis salut à notre grand-père qui est également au ciel. »

Reproduit avec l'autorisation de Bil Keane.

Le vitrail de maman

Sans foi, nous sommes comme
des vitraux dans l'obscurité.

Anonyme

Pat Lewis conduisait lentement sur la route de campagne qui la menait à sa résidence de Willow Heights. La beauté campagnarde du New Jersey – les arbres resplendissants de couleurs, les nuages ressemblant à de la ouate dans le ciel bleu, les petits ruisseaux sinueux étincelant en plein soleil – la touchait profondément. *C'est le genre de journée que maman aurait adorée.* L'esprit de Pat dériva vers les dernières années.

Elle ne s'était pas attendue à ce que sa mère lui manque autant. Elle avait toujours cru que ces repas à l'extérieur, ces rendez-vous chez le coiffeur, ces excursions à l'improviste dans les magasins ou même ces visites à l'épicerie étaient surtout pour accommoder sa mère. Mais au cours des dernières années, Pat en était venue à aimer et à se réjouir à l'avance de ces moments.

Sa mère ne s'était fait aucune amitié durable durant ses années de mariage. Puis, veuve depuis dix ans, elle est devenue solitaire et toujours seule, à part pour sa fille Pat, son gendre Tom, ses petits-enfants et arrière-petits-enfants qui vivaient dans des contrées lointaines. En vivant à la résidence de Willow Heights, elle était entourée de dames dans la même situation, mais elle n'était pas attirée vers aucune d'elles. Et même si Willow Heights offrait un calendrier d'activités sociales, maman préférait s'asseoir dans son petit salon et crocheter.

Quand ils étaient tout-petits, le père et la mère de Pat ont tous deux immigré avec leurs parents de l'Allemagne vers l'Amérique. Sa mère était une femme au foyer typique *(hausfrau)*. Elle avait astiqué, cuisiné, lavé, repassé, frotté des planchers, fait cuire du pain, fait briller les chaussures et élevé deux enfants, reconnaissante d'avoir eu la chance de faire tout cela. Elle avait vécu dans la même petite maison de bois blanc tout au long de sa vie de femme mariée. Chaque dimanche, mes parents se rendaient à l'église luthérienne allemande, à seulement deux coins de rue de leur maison. Peut-être que le fait d'assister aux services religieux a éveillé son désir d'avoir une fenêtre en vitrail. Elle n'a jamais vraiment rien demandé, mais de temps en temps, elle envisageait à voix haute à quel point ce serait merveilleux d'avoir un petit vitrail dans la porte d'entrée ou dans la partie supérieure de la grande fenêtre du salon, ou même dans la petite fenêtre au-dessus de l'évier de la cuisine où brillent les rayons du soleil matinal. Personne n'a jamais considéré son désir sérieusement. En fait, c'était même devenu une sorte de plaisanterie familiale.

Lorsque Noël approchait ou que c'était son anniversaire, il était certain que quelqu'un allait se moquer en disant: «Pourquoi n'achèterions-nous pas un vitrail à maman?»

À travers tout cela, ses doigts de quatre-vingt-dix ans ont continué à faire tourner et travailler son crochet, fabriquant des vestes, des manteaux et des couvertures de laine. Les couvertures de laine ont été les premières à la rendre confuse. Elles étaient trop grandes pour tenir sur ses genoux et lorsque ma mère était rendue aux trois quarts du travail, elle ne se souvenait plus du patron. Elle a crocheté trois manteaux dans un motif à chevrons. Le dernier, dans des teintes de bleu, avait une manche multicolore simplement parce qu'elle avait épuisé la couleur qu'elle utilisait. Pat l'a défait et sa mère a immédiatement commencé à crocheter des pièces allant du support à pot de fleurs aux taies d'oreillers. Lorsqu'elle décidait que c'était la bonne grandeur, elle faisait simplement une bordure à trois boucles en éventail et disait que le travail était terminé. Quelques-unes de ces étranges pièces étaient un bon sept centimètres plus larges à l'une des extrémités.

Les écheveaux de fils à tricoter vert émeraude, rouge baie de houx, jaune doré et bleu saphir étaient rapidement transformés en carreaux maladroits.

Puis, il y a six mois, la mère de Pat a subi une crise cardiaque foudroyante et est décédée dans son sommeil. Pat a rempli des sacs poubelles de toutes les petites pièces tricotées et les a données à madame Connelly, la surveillante à Willow Heights. Peut-être qu'un petit ajout de couleur sous un pot de fleurs ou quelque part dans la chambre d'un résident ajouterait une note de gaieté. Pat était tout simplement contente de se débarrasser de ces pièces encombrantes.

Ce jour-là, Pat s'engagea dans l'allée de la résidence de Willow Heights pour assister à l'exposition automnale annuelle d'artisanat, présentant des œuvres confectionnées par les résidents. Elle ne voulait pas y aller, mais madame Connelly avait insisté. Lorsque Pat est entrée dans la cafétéria, transformée pour l'occasion en salle d'exposition, madame Connelly l'a prise par le bras.

«Je suis tellement contente que vous soyez venue, lui a-t-elle dit, tout excitée. Cette exposition est notre meilleure de tous les temps! Nous avons fait quelque chose cette année que nous n'avons jamais fait auparavant.»

«Et de quoi s'agit-il?» demanda poliment Pat.

«Attendez et vous verrez», a répondu la surveillante en tirant Pat tout au fond de la salle où s'était rassemblée une petite foule. Les gens admiraient une grande couverture exposée sur le mur. Pat poussa un cri d'étonnement. C'étaient les petites pièces que sa maman avait crochetées et qui, maintenant, étaient toutes rassemblées avec un point de chaînette jaune et une bordure de finition à trois boucles en éventail.

«Nous l'avons mise en vente pour un tirage, poursuivit madame Connelly. C'est la première fois que nous avons quelque chose d'assez gros pour faire cela.»

Pat fixa la magnifique couverture comme si elle était hypnotisée. Elle pouvait visualiser sa mère, assise dans son fauteuil inclinable, en train de crocheter de petits carreaux.

«Vous savez, dit calmement madame Connelly, à mesure que la couverture prenait forme, elle semblait acquérir sa propre personnalité. Presque tout le monde de la résidence y a travaillé.»

Pat ne pouvait détacher ses yeux de cette œuvre. Le fil jaune avait la couleur d'un soleil d'automne et les carreaux de couleurs vives ressemblaient à…

La voix de madame Connelly a sorti Pat de ses pensées. «Ils ont déjà décidé ce qu'ils feront avec l'argent ramassé. Ils veulent mettre un petit vitrail sur le mur, juste derrière l'autel où ils pourront tous le voir.»

Les lèvres de Pat tremblaient et ses yeux remplis de larmes demeuraient fixés sur la couverture.

Madame Connelly la regarda d'un air interrogatif. «Pat, lui dit-elle doucement, est-ce que ce sera correct? Pensez-vous que votre mère aimerait cela?»

«Elle adorerait, tout simplement.»

Katherine Von Ahnen

Je ne veux pas marcher sans toi

Le seul courage qui compte est celui qui vous mène d'un moment au suivant.

Mignon McLaughlin

Dès que ma fille a eu trois ans, nous nous chantions l'une à l'autre une ligne d'une vieille chanson de Barry Manilow, qui dit ne pas vouloir marcher sans l'autre à ses côtés. Au lieu du mot «*baby*», je chantais «Jenny» et elle disait simultanément «Maman». J'étais une mère de famille monoparentale et elle était mon unique enfant. C'était devenu notre engagement l'une à l'autre... notre bouée de sauvetage nous soutenant durant certaines années difficiles.

Tragiquement est venu le jour où j'ai dû marcher sans elle. Par une froide soirée d'octobre, en 1995, deux officiers de la marine ont fait cette fatidique visite à ma porte pour m'informer que ma fille de dix-neuf ans était décédée.

Plusieurs semaines après les funérailles, ses affaires m'ont été expédiées de la base. Je suis restée debout dans le garage en pleurant, alors que les déménageurs déchargeaient trente boîtes de ses possessions. Tout est revenu, sauf elle.

Cela m'a pris plusieurs mois avant de pouvoir ouvrir quelques boîtes. Je ne pouvais supporter d'en ouvrir plus qu'une ou deux à la fois. Lors d'un de ces tris douloureux, j'ai trouvé ses chaussures noires de militaire. Jennifer et moi avions la même pointure de soulier, alors je les ai mis. Aussitôt, notre vieille chanson a surgi dans ma tête. J'ai pensé: *si je peux porter les souliers de Jen, particulièrement les jours où j'ai besoin de la sentir près de moi, cela pourrait être une façon de continuer à «marcher ensemble».* Étonnamment, ils ressemblaient au nouveau style de chaussures à la mode pour femmes, ce qui semblait donc une possibilité.

Aussi cruelles que sont les fêtes sans elle, les deux pires jours sont ceux de son anniversaire de naissance et de sa mort. Depuis son décès, j'avais choisi de ne pas travailler ces jours-là. Mais en janvier 1998, je n'ai pas eu le choix.

Je devais présenter une série d'émissions et de séminaires à l'extérieur de la ville qui débutaient le jour même de l'anniversaire de Jennifer. En tant que conférencière et formatrice, le bilan émotionnel de cette importante journée a été alourdi par la demande de mon auditoire d'être constamment positive et motivante durant mes présentations. Je me demandais comment j'arriverais à passer à travers cette journée. Je voulais la sentir marcher avec moi.

D'une certaine manière, la journée s'est bien passée. Tout semblait s'être bien déroulé. Malgré tout, je suis retournée à l'hôtel où je logeais, me sentant très triste et seule. Un hôtel était la dernière place où je voulais être ce soir-là. Dans le hall, je me suis approchée de la réception pour prendre une carte qui m'attendait de la part de ma sœur Jeanne. Elle savait à quel point l'anniversaire de Jen était émotionnellement difficile. En prenant mon courrier, j'ai entendu le groom parler au téléphone avec un client de l'hôtel. Il lui expliquait que l'hôtel ne disposait plus d'un service de cireur de chaussures, mais qu'il serait heureux de faire briller lui-même ses chaussures.

En tant que formatrice du service à la clientèle, j'ai été très impressionnée par ce que je venais d'entendre. Lorsqu'il a raccroché, je l'ai complimenté sur ses compétences en service à la clientèle. Il a répondu humblement: «C'est toute une soirée. Et d'ailleurs, j'étais dans l'armée. Cirer les souliers est une de mes spécialités.» Il s'est penché et, regardant mes souliers, il a ajouté avec un large sourire: «Et je serais heureux de cirer les vôtres.» Je l'ai remercié de son offre, mais lui ai dit que je ne voulais pas m'imposer. Il a insisté: «Si vous changez d'idée, apportez-les-moi.»

En marchant vers ma chambre, mes pensées sont retournées vers cette époque où j'ai vu Jennifer porter pour la première fois ces souliers. C'était à la cérémonie de remise de diplômes du camp d'entraînement à Parris Island. Jen avait été choisie *Diplômée d'Honneur* de son peloton en reconnaissance de ses remarquables qualités de leadership, de discipline, de maîtrise, de comportement et pour sa forme physique.

Je vois encore Jennifer lorsqu'on lui a présenté sa médaille. Elle se tenait au garde-à-vous dans sa tenue de cérémonie et ses chaussures. Ce fut le moment où j'ai été la plus fière de ma vie. Je savais le courage requis pour accomplir tout ce qu'elle avait fait, tout comme le courage qu'il me fallait pour accomplir ce que j'avais à faire aujourd'hui. J'ai jeté un regard sur les souliers. *Je suis certaine que je n'ai pas entretenu ces souliers comme Jen le faisait*, pensais-je. Ils avaient quand même besoin d'un bon «astiquage». J'ai pensé à quel point ce serait symbolique de les faire reluire le jour même de son anniversaire, particulièrement par une personne qui avait déjà servi dans l'armée.

J'ai enfilé une autre paire de souliers et emporté ceux de Jen à la réception. J'ai dit au groom que j'avais décidé d'accepter son offre. Il a souri et m'a répondu qu'il me les apporterait à ma chambre dès qu'il aurait terminé.

En retournant à ma chambre, je me suis demandé si je devais faire part au groom de la signification de son geste. Ces chaussures jouaient un rôle important pour m'aider à traverser la journée. Il y a quelque chose de symbolique à nettoyer et polir un article (que ce soit une médaille ou une paire de souliers), c'est comme une manière de reconnaître les accomplissements, les actes de courage et même les anniversaires. Avec sa gentillesse, ce jeune homme m'a permis de reconnaître tout cela.

Quelques minutes plus tard, lorsqu'il a frappé à ma porte, j'ai hésité. Il y a des moments où les mots ne sont tout simplement pas adéquats, et c'était un de ces moments. J'ai ouvert la porte, j'ai souri et je l'ai simplement remercié en lui disant que ce geste représentait beaucoup pour moi. Je lui ai tendu un gros pourboire.

J'ai fermé la porte et j'ai bercé mes chaussures. Leur surface polie brillait tout comme le visage de Jen le jour de sa graduation. Je me suis dirigée vers la table où j'ai placé une seule rose dans un vase à fleurs, près de la photo de Jennifer. J'ai déposé les chaussures près de la rose et murmuré : «Bon vingt-deuxième anniversaire, ma chérie. Après tout, nous avons trouvé une façon de continuer de marcher ensemble.»

Joyce A. Harvey

Je vous souhaite assez

Récemment, j'ai surpris la conversation d'un père avec sa fille durant leurs derniers moments ensemble. Ils avaient annoncé le départ de la fille et, debout près de la porte de sécurité, ils se sont serrés dans les bras l'un de l'autre. Le père lui a dit: «Je t'aime et je te souhaite assez.»

Elle lui a répondu: «Papa, notre vie ensemble a été plus qu'assez. Ton amour a été tout ce dont j'avais besoin. Je te souhaite également assez, papa.» Ils se sont embrassés, puis elle est partie. Il a marché près de la fenêtre où j'étais assis. De là, je pouvais voir qu'il voulait pleurer et qu'il en avait besoin. J'ai essayé de ne pas m'immiscer dans sa vie privée, mais il m'y invita en me demandant: «Avez-vous déjà dit au revoir à quelqu'un en sachant que ce serait pour toujours?»

«Oui, ça m'est arrivé», ai-je répondu. En disant cela, des souvenirs me sont revenus en mémoire, ceux d'avoir exprimé mon amour et mon appréciation pour tout ce que mon père avait fait pour moi. Sachant que ses jours étaient comptés, j'avais pris le temps de lui dire face à face combien il comptait pour moi. Alors, je savais ce que cet homme éprouvait. «Pardonnez-moi de le demander, mais pourquoi est-ce un au revoir à tout jamais?»

«Je suis vieux et elle vit beaucoup trop loin. J'ai des défis devant moi et la réalité est que son prochain voyage de retour sera pour mes funérailles», a-t-il répondu.

«Lorsque vous lui avez dit au revoir, je vous ai entendu dire *Je te souhaite assez*. Puis-je vous demander ce que cela signifie?»

Il a esquissé un sourire. «C'est un souhait qui a été transmis de génération en génération. Mes parents avaient l'habitude de dire cela à tout le monde.» Il fit une pause, regarda vers le haut comme s'il tentait de se souvenir des détails, puis il sourit encore plus largement. Il poursuivit: «Lorsque nous disons *Je te souhaite assez*, nous souhaitons que l'autre personne ait une vie remplie avec juste assez de bonnes choses pour la sustenter.» Puis, se tournant vers moi, il me récita ce qui suit:

Je vous souhaite assez de soleil pour garder
votre attitude brillante.

Je vous souhaite assez de pluie pour apprécier
davantage le soleil.

Je vous souhaite assez de joie pour garder
votre esprit alerte.

Je vous souhaite assez de douleur pour que
les petites joies de la vie paraissent plus grandes.

Je vous souhaite assez de gains pour satisfaire
vos désirs.

Je vous souhaite assez de pertes pour apprécier
tout ce que vous possédez.

Je vous souhaite assez de bonjours *pour parvenir*
au dernier au revoir.

Puis, il s'est mis à sangloter et s'est éloigné.

Je vous souhaite assez.

Bob Perks

L'éveil

«Non, je n'ai ressenti aucun mouvement encore», ai-je répondu avec une amabilité feinte qui cachait mon inquiétude et ma déception.

«Oh! je suis certaine que vous allez sentir ces petits pieds et ces petites mains bouger d'un jour à l'autre maintenant.»

Apparemment, mes tentatives de dissimuler mes préoccupations concernant la santé de mon enfant en développement ne prenaient plus. Je prenais kilos et centimètres depuis maintenant six mois, mais sans ressentir quoi que ce soit à l'intérieur de moi. Je ne pouvais écarter l'idée que quelque chose ne tournait pas rond. Et selon les nombreux articles que je lisais, la mère pouvait détecter les mouvements fœtaux dès le quatrième mois de sa grossesse. Alors mes peurs allaient en s'accroissant.

J'étais hantée par le fait que ce petit bébé nous était arrivé telle une surprise et je n'avais pas préparé sa nouvelle maison comme l'aurait fait un parent responsable et aimant. Durant ses premières semaines, je l'ai amené par inadvertance dans les bars les week-ends et, le soir, dans le Jacuzzi. Jack, mon mari, prenait des médicaments très forts pour apaiser une douleur tenace, consécutive à un désordre neurologique rare. Malgré cette adversité, une brave petite âme a décidé de faire son chemin vers le monde, à travers nous. Pourtant, ce bébé ne voulait pas bouger.

Bientôt, mon mari et moi avons été contraints de penser à autre chose lorsque le médecin de sa mère nous a appris la terrible nouvelle. Elle venait juste de subir une importante hémorragie intracrânienne qui continuait de saigner. Ce fut un terrible choc pour nous tous, car elle était les bras, les jambes et la voix de son mari devenu handicapé à la suite d'un AVC, près de vingt ans plus tôt. C'était presque inimaginable que ma belle-mère soit étendue maintenant dans un lit d'hôpital, se tordant de douleurs atroces, autant dans sa tête que dans son cœur, puisqu'elle ne pouvait retourner à la maison prendre soin de son mari depuis cinquante ans.

Jack et moi, de même que ses sept autres frères et sœurs accompagnés de leurs familles, avons visité régulièrement sa mère dans sa chambre d'hôpital. Ces visites étaient chargées de tristesse, rendant les conversations épuisantes même chez les membres les plus proches. Ma propre anxiété était encore amplifiée par les nombreux questionnements concernant le cours de ma grossesse – ce qui semblait être le sujet le plus approprié à discuter. Comme la famille de Jack est si nombreuse, les histoires sur la façon dont est venu au monde chaque petit-enfant ont été racontées de nouveau. À travers le récit de chacune des grossesses et des accouchements de huit petits-enfants, la preuve se construisait de plus en plus à l'effet que mon bébé éprouvait des problèmes. Cette pensée était maintenant couplée avec la possibilité que ma belle-mère ne verrait jamais son petit-fils, celui qui deviendrait le seul à porter le nom de famille de la nouvelle génération.

Et là, devant moi, était étendue la chef de famille de tant d'autres familles. Dès notre première rencontre quatre années plus tôt, je m'étais aussitôt sentie chaleureusement accueillie par cette dame si douce et si gentille. J'ai vite compris qu'elle était trop charmante pour dire un seul mot de déplaisant à quelqu'un ou à son sujet. Cette femme a passé sa vie à élever une merveilleuse famille et, durant ses dernières années, elle a travaillé, discrètement mais fermement, à garder tout son monde ensemble.

Ainsi, j'ai pensé avec beaucoup de regrets que mon petit enfant ne pourrait connaître la douceur de ses joues, la gentillesse de ses yeux, son petit rire toujours présent dans ses mots et l'amour puissant qui irradiait de cette petite femme devant moi, mais si extraordinaire. Entourée de ses enfants veillant aux côtés de leur mère comme de silencieuses et sombres sentinelles, Patricia Ann Kierman a pris ses dernières respirations et est décédée aux petites heures du matin. Puis, en ce jour d'hiver, tous se sont réunis dans sa maison pour réconforter leur père.

> *Regardant plus bas les événements se déroulant sur Terre, un petit garçon timide tenait solidement les barreaux d'une grille nacrée. Il relâcha la pression de sa poigne pendant un moment et tendit la tête pour regarder avec prudence en dessous du nuage. Il jeta un regard vers le bas, curieux des gens qu'il voyait, mais en même temps réticent à quitter son port sécurisant. Il recula rapidement du bord et examina la structure étincelante de la grille devant lui. Même s'il*

était sans cesse attiré à regarder le monde en dessous, il restait obstinément à son poste.

Jusqu'à ce qu'il soit approché par une très belle dame. Elle marcha lentement vers le garçon, les bras ouverts pour l'étreindre, son visage rayonnant d'une telle joie à leur rencontre. Elle lui sourit si tendrement que le garçon s'est senti immédiatement désarmé et retira sa main de la grille pour entrer en contact avec elle. Les bras de la dame l'enveloppèrent, et il trouva immédiatement réconfort et sécurité dans son étreinte.

« Mon tout-petit, lui dit-elle doucement et gentiment. Ils t'attendent tous en bas. Ne sois pas effrayé, car tu es déjà aimé et on prendra bien soin de toi. Dépêche-toi, maintenant, mon enfant ! Je te promets que tu auras beaucoup de plaisir et je t'attendrai à ton retour. » Elle rit et lui donna une autre grosse étreinte chaleureuse avant d'ouvrir ses bras.

Le petit garçon l'a regardée et a souri joyeusement, ayant confiance en tout ce qu'elle venait de dire. Et maintenant, de plus en plus excité par l'aventure qui l'attendait, il s'avança confiant vers le bord du nuage. Il se retourna, envoya la main à la belle dame – et sauta !

Je me suis assise sur la dernière marche de l'escalier, entendant les plus tristes et les plus solitaires sanglots de mon beau-père qui venait juste de perdre sa meilleure amie et l'amour de sa vie. L'air dans cette vieille maison, avec ses mille et un souvenirs des temps heureux et d'années écoulées, était rempli de douleur et de déchirement. Mon mari se tenait aux côtés de son père, ses yeux bleus brillants désormais larmoyants et ternes.

Mes mains posées sur mon ventre gonflé, je restais en silence et en peine jusqu'à ce que... *tap, tap, tap.*

Mes yeux se sont agrandis. J'ai écouté silencieusement avec mon corps tout entier.

Tic. Tic. Tap. Tap.

Comme un code morse à l'intérieur de moi venait un mouvement. Souriante et goûtant à ce précieux moment, «Te voilà enfin! Te voilà enfin!» ai-je répondu au tapotement. J'étais tellement soulagée et excitée, ravie que ce moment soit enfin arrivé. Cependant, la gravité de la journée m'a empêchée de crier à tout le monde: «Il est ici! Il est ici!» J'ai plutôt remercié Dieu en murmurant une prière et en allant retrouver mon mari sur la véranda.

«Il vient juste de donner des coups de pied», ai-je dit doucement à Jack. Mon mari m'a regardée pendant un moment, et ses yeux se sont mis à briller en annonçant tout excité à la ronde: «Le bébé vient juste de donner des coups de pied pour la première fois!» J'ai ri et souri à ses sœurs qui se sont tournées vers moi et, oubliant leur perte pour un moment, se sont jointes à notre bonheur.

Alors que la journée avançait, que mes précédentes inquiétudes disparaissaient, j'ai réfléchi sur les événements de la matinée. Comment avec le passage d'une vie, une autre est introduite. Et j'ai également pensé comment sa grand-mère avait peut-être été vraiment la première à voir notre petit bébé garçon heureux et en santé. Et c'est de cette façon que je commencerai à raconter à mon fils quelle grand-mère extraordinaire il a!

Monica Kiernan

La vie est éternelle et l'amour est immortel.
Et la mort n'est qu'un horizon;
Et un horizon n'est rien de plus
que la limite de notre vue.

Rossiter Worthington Raymond

L'horizon

Je suis sur le bord de la mer.
Un voilier à mes côtés déploie ses voiles blanches
à la brise matinale et quitte vers l'océan bleu.
C'est un objet de beauté et de force.

Je me tiens debout et le regarde
jusqu'à ce qu'il devienne une petite tache
de nuage blanc à l'horizon,
Là où la mer et le ciel viennent se mêler
l'un dans l'autre.

Puis, quelqu'un à mes côtés dit :
« Voilà, il est parti. »
« Parti où ? »
Disparu de ma vue. C'est tout.

Il est aussi grand dans le mât, la coque et l'espar
qu'il l'était lors de son départ.
Et il est tout aussi capable de porter
sa charge de marchandise vivante
vers son port de destination.
Sa taille réduite est en moi, pas en lui.

Et au moment même où quelqu'un à mes côtés
me dit : « Voilà, il est parti »,
D'autres yeux le regardent venir,
Et d'autres voix prêtes à l'accueillir crient de joie :
« Le voici, il arrive ! »

Et ça, c'est mourir.

Henry Scott Holland

6

LEÇONS ET PERSPECTIVES

Tu es toujours ici

Au niveau le plus subtil de mon être,
Tu es toujours avec moi.
Nous nous regardons encore l'un et l'autre,
À un niveau au-delà de la vue.
Nous parlons et rions l'un avec l'autre,
Dans un lieu au-delà des mots.
Nous nous touchons encore,
À un niveau au-delà du toucher.
Nous partageons du temps ensemble
Dans un lieu où le temps s'est arrêté.
Nous sommes toujours ensemble,
À un niveau appelé Amour.
Mais, je te pleure seul,
Dans un endroit appelé réalité.

Richard Lepinsky

Cerises enrobées de chocolat

L'expérience du deuil est un grand cadeau... car le cœur qui se brise s'ouvre simplement de nouveau.

Sharon Callahan

Quelle façon terrible de passer Noël! L'aîné de mes garçons, Cameron, a reçu le diagnostic d'une leucémie myéloblastique aigüe en juin dernier. Après un trajet extrêmement pénible en hélicoptère militaire vers l'hôpital Walter Reed, trois épouvantables séries de chimiothérapie, une atroce résection pulmonaire et une recherche décevante de moelle osseuse, nous étions à l'hôpital Duke University. Au début du mois de décembre, dans un effort ultime pour sauver sa vie, Cameron a subi une greffe de sang de cordon. Maintenant, c'était la veille de Noël.

Passer Noël dans une petite chambre du service d'oncologie semblait étrange – tellement différent des fêtes que nous passions habituellement à la maison. Nous avions toujours consacré des semaines à notre projet favori du temps des fêtes: confectionner des biscuits. Maintenant, cette production était relayée aux familles et amis, puisque je passais mon temps auprès de Cameron, contribuant ainsi à alléger ses longues heures fastidieuses. À cause des traitements de chimiothérapie et des médicaments qui le laissaient sans système immunitaire, il avait été placé en isolation pendant des semaines.

Lorsque des cadeaux ont commencé à nous parvenir par courrier, nous n'attendions pas Noël; nous les déballions immédiatement – tout pour créer un moment lumineux durant cette douloureuse et monotone période.

Toutes les veilles de Noël antérieures, «l'heure magique» avait toujours été à 18 heures. C'était le moment précis où tous les membres de ma famille en Iowa, au Wisconsin, en Californie et à Washington, ouvraient leurs présents. Malgré le fait que nous vivions si éloignés les uns des autres, nous accomplissions toujours ce rituel à la même heure. Le père de Cameron, sa belle-mère, sa sœur et son frère ouvraient également leurs cadeaux en même temps, chez eux.

Cette année, l'heure magique ne se passerait qu'entre Cameron et moi dans une petite chambre presque vide, puisque la plupart des décorations n'étaient pas permises dans cet environnement stérile.

Nous nous sommes assis ensemble, écoutant le ronronnement du filtre à air HEPA et le bip de six pompes à perfusion reliées à un cathéter dans son cœur, alors que Cameron attendait jusqu'à 18 heures pile pour ouvrir les quelques présents que j'avais mis de côté pour lui. Il avait insisté pour poursuivre cette petite tradition afin de créer un semblant de normalité – qui avait été abruptement abandonnée six mois plus tôt. Je l'ai regardé ouvrir les cadeaux. Son jouet favori était un «Hug Me Elmo», qui disait *Je t'aime* lorsque mon fils le pressait.

Beaucoup trop rapidement, Noël était terminé. Il n'était déjà plus. Du moins, c'est ce que je croyais.

Avec précaution, Cameron a tenté d'atteindre quelque chose sur le côté de son lit, puis il m'a tendu une petite boîte verte. Elle était emballée avec art, visiblement par une boutique de cadeaux, avec des bords parfaits et un ruban fixé par un autocollant en relief doré.

Surprise, je lui ai dit : « C'est pour moi ? »

« Maman, ce ne serait pas Noël si toi aussi tu ne développais pas de cadeaux. »

J'étais sans voix. Finalement, j'ai demandé : « Mais comment as-tu eu cela ? As-tu demandé à une infirmière de se précipiter à la boutique de cadeaux ? »

Cameron se pencha vers l'arrière sur son lit et m'offrit son plus beau sourire diabolique. « Non. Hier, quand tu es retournée à la maison quelques heures pour prendre une douche, je me suis faufilé en bas. »

« CAMERON ! Tu n'es pas supposé quitter l'étage ! Tu sais que tu es vulnérable à presque tous les germes. On t'a laissé quitter le service ? »

« Non ! » Maintenant, son sourire était encore plus large. « Comme on ne me regardait pas, alors je suis juste parti. »

Ce n'était pas un mince exploit, car il pouvait à peine marcher, et surtout pas sans aide. Il lui a fallu toute son énergie juste pour marcher dans les couloirs du petit service de l'hôpital, en poussant le lourd pied à perfusion sur lequel étaient suspendues sa médication et une pompe contre la douleur. Comment avait-il pu faire neuf étages pour se rendre à la boutique de cadeaux?

«Ne t'en fais pas, maman, j'ai porté mon masque et j'ai utilisé ma canne. Ils n'ont vraiment pas mâché leurs mots quand je suis revenu. Je n'ai pas pu me glisser en cachette, car ils me cherchaient partout.»

J'étais incapable de lever les yeux. Je tenais la boîte encore plus fermement maintenant, et j'avais déjà commencé à pleurer.

«Ouvre-la. Ce n'est pas grand-chose, mais ça n'aurait pas été Noël si tu n'avais rien eu à ouvrir de ma part.»

J'ai ouvert la boîte de cerises enrobées de chocolat emballée par la boutique de cadeaux. «Ce sont tes favoris, n'est-ce pas?» demanda-t-il avec espoir.

J'ai finalement posé les yeux sur mon pauvre petit âgé de dix-huit ans. Les souffrances de Cameron avait débuté presque immédiatement après l'obtention de son diplôme d'études secondaires. Savait-il à quel point il m'apprenait ce que voulait vraiment dire «être une famille»? «Oh oui, absolument. Il s'agit de mes préférés!»

Cameron eut un petit rire. «Vois-tu, nous avons encore notre tradition – même ici.»

«Cameron, c'est le plus beau cadeau jamais reçu de toute ma vie, jamais», lui ai-je répondu, et je pensais chacun de mes mots. «Commençons aujourd'hui une nouvelle tradition. À chaque Noël, donnons-nous chacun une boîte de cerises enrobées de chocolat, et nous nous souviendrons alors de l'année où nous avons passé Noël à l'hôpital Duke University, à se battre contre la leucémie. Nous nous souviendrons à quel point tout cela était horrible et à quel point nous étions heureux que ce soit enfin terminé. »

Nous avons fait le pacte aussitôt, pendant que nous nous passions la boîte de cerises enrobées de chocolat. Quelle merveilleuse façon de passer Noël !

Cameron est décédé deux mois plus tard, après deux infructueuses greffes de sang de cordon. Il était si brave – ne cédant jamais ni n'abandonnant. À mon premier Noël sans lui, j'ai envoyé un présent spécial à mes amis et à la famille avec cette note :

> *« Ceci est mon cadeau pour vous – une boîte de cerises enrobées de chocolat. Et lorsque vous l'ouvrirez, j'espère qu'elle vous rappellera ce que sont véritablement les fêtes, c'est-à-dire être avec votre famille et vos amis, recréer des traditions, peut-être en commencer de nouvelles – mais, plus que tout – vivre l'amour. »*

Quelle merveilleuse façon de passer Noël !

Dawn Holt

Se souvenir avec courage

Noël est un moment spécial de l'année. Et même si de jolis paquets et des lumières scintillantes habillent les fenêtres pour cette excitante festivité, c'est la chaleur et l'amour de la famille qui rendent la saison des fêtes si mémorable. Cependant, ce moment peut s'avérer fort douloureux pour les personnes expérimentant la perte récente d'un être cher.

Mon mari est décédé subitement il y a maintenant douze ans. Même si nous n'étions qu'à la fin d'octobre, chaque département de magasins brillait de décorations et les employés travaillaient d'arrache-pied pour augmenter les ventes. Lors de l'achat de vêtements pour mes filles de dix et douze ans qu'elles porteraient aux funérailles de leur père, la vendeuse me demanda innocemment si je commençais à l'avance mes achats de Noël. Je n'oublierai jamais la douleur aigüe qui a traversé mon cœur alors que je bégayais pour trouver une réponse.

J'ai conduit en larmes pour retourner à la maison, réalisant à quel point je n'étais pas synchronisée avec le monde extérieur. L'excitation du temps des fêtes montait et je me sentais comme si j'avais été avalée par un énorme trou noir. Je voulais crier. Je voulais que le monde entier cesse de tourner. Je voulais m'enfuir… trouver un endroit qui ne débordait pas de guirlandes de Noël et de la gaieté des fêtes. Mais plus encore, je voulais ravoir ma famille.

Les semaines passèrent et le 25 décembre approchait rapidement. Je tentais de rejeter Noël tout en accueillant, en même temps, l'excitation débordante de l'enfance de mes deux filles. Certes, il était facile pour moi de maintenir un ressentiment envers le monde extérieur, mais il m'était impossible de résister à mes filles. Elles ont fait leur liste annuelle de souhaits et insisté pour décorer la maison. À travers leurs actions, il devint très clair que Noël allait avoir lieu, que je le veuille ou non.

Mes filles m'ont plus appris sur le deuil que je n'aurais jamais pu leur enseigner. Leur père leur manquait terriblement. Pourtant, elles ont été capables de saisir l'enchantement de Noël comme les années précédentes, quoique d'une manière différente. Il était évident qu'elles avaient choisi de s'impliquer dans la ferveur de Noël. Étant des enfants, elles n'étaient probablement pas conscientes des implications de leur choix. Peut-être était-ce la grâce salvatrice. En faisant ce choix inconscient, elles ont été libérées de tout auto-jugement accablant qui amènerait un manque de respect envers la mémoire de leur père. Elles savaient instinctivement que leur vie devait se poursuivre et elles m'ont démontré que la mienne devait également aller de l'avant.

Cette année-là, Noël a passé aussi pour nous. Et en effet, il a été très différent. Nous nous sommes toutes les trois réunies comme une famille et avons développé de nouvelles traditions pour nous aider à faire face à cette journée. Par exemple, nous avons accroché une photo de mon mari dans l'arbre de

Noël, le déclarant notre «Étoile de Noël». Aussi, nous avons décidé de dédier la veille de Noël à son honneur en lui rendant visite au cimetière. C'est là que j'ai offert à chacune de mes filles un de nos anneaux de mariage comme un cadeau de la part de leur père et moi. Nous sommes retournées à la maison pour passer une soirée tranquille et nous rappeler nos meilleurs moments de famille ensemble. Les larmes coulaient, parfois de façon incontrôlable, mais avec un effet apaisant.

Étonnamment, le jour de Noël a été assez agréable. Il n'a pas été rempli de cette lourde tristesse et de ces sentiments de chagrin que j'appréhendais, mais il a été plutôt baigné d'amour et de compassion. Nous avons invité notre famille élargie et nos amis proches à passer la journée avec nous. Durant le repas, nous avons échangé des histoires des annés passées, dont plusieurs d'entre elles provoquaient des sourires et des rires chez tous.

En y réfléchissant, je suis remplie de gratitude d'avoir trouvé le courage cette année-là de vivre Noël. En faisant cela, nous avons renouvelé notre force et notre courage de continuer à vivre notre vie comme nous étions censées le faire. Deux ans plus tard, mes filles et moi avons eu le bonheur de recevoir une nouvelle famille avec un père et trois autres enfants.

Aujourd'hui, nous voyons Noël comme une façon non seulement de célébrer ceux que nous sommes chanceux d'avoir dans notre vie, mais aussi de nous souvenir de ceux qui sont si chers à notre cœur.

Si, pour la première fois, vous devez vivre un Noël seul, je vous encourage à aller vers quelqu'un en qui vous avez confiance et à lui partager vos sentiments. Le jour précédent Noël, réservez un moment et un lieu afin de vous permettre d'honorer ouvertement l'être cher et d'accueillir vos sentiments. Finalement, le jour de Noël, concentrez-vous intentionnellement sur votre famille et vos amis qui, non seulement partagent votre perte, mais vous apportent de précieux cadeaux d'amour et de soutien pour vous aider dans votre processus de guérison.

Vous n'êtes pas seul même si vous pouvez vous sentir ainsi. Plusieurs personnes ont passé par cette épreuve, et nous nous en soucions profondément.

Janelle M. Breese Biagioni

La voix de mon père

C'est par l'exemple surtout que mon père m'a élevé. Il était médecin et propriétaire d'une ferme dans le Midwest où il faisait l'élevage du bétail, de chevaux et de chiens de chasse. J'ai appris en l'observant travailler: comment soigner des animaux aussi bien que soigner tous les genres d'événements imprévus qui sont si fréquents dans la vie d'un médecin de famille.

Mon père prenait les choses comme elles venaient, il s'en occupait et, lorsqu'un obstacle avait été surmonté, il se plaisait à dire: «Passons maintenant à autre chose.» Je devais me conformer à quelques préceptes à lui auxquels il référait toujours par les lettres initiales des mots: JM! JT! AP! et PPB! Ces lettres signifiaient: *ne jamais mentir*; *ne jamais tricher*; *arrêter et penser*; et *pas de panique, Bud.* Cela m'amusait lorsque j'étais encore un gamin de l'entendre répéter une de ces interjections à tout propos.

Il était convaincu que les animaux étaient des maîtres et il m'enseignait à observer attentivement leurs comportements. Un jour d'hiver, à la fête de l'Action de grâce, un écureuil a envahi notre demeure. Nous ne l'avons jamais vu, jamais entendu, mais j'ai trouvé des réserves de noix bien dissimulées sous les coussins du canapé et de presque toutes les chaises. Chose fascinante, chaque réserve contenait une seule sorte de noix. Les glands, sous le coussin du fauteuil de mon père; les fruits du noyer, à une extrémité du canapé; et les amandes dans leurs coques, à l'autre extrémité – subtilisées du plat que ma mère avait placé sur la table à café.

Je le croyais bien futé, cet écureuil, d'avoir séparé son garde-manger de la sorte. Mon père ajouta qu'il était encore plus intelligent que je le croyais puisqu'il ne rassemblait qu'une sorte de noix à la fois. De cette manière, il n'avait pas à les trier par la suite, ce qui était beaucoup plus efficace.

Ce genre d'enseignement continua de me nourrir au fil des ans, même lorsque je devins un adulte, et jusqu'au jour de la mort de mon père. J'avais trente ans lorsqu'il devint malade, la veille de Noël. Nous l'avons mis en terre le 3 janvier suivant, son cercueil enveloppé du drapeau américain. Après avoir reçu le drapeau soigneusement plié par les porteurs, un soldat de l'armée des États-Unis me l'a remis sans un mot. Je le serrais sur mon cœur alors que mon épouse et moi quittions ce lieu des plus tristes pour reprendre le long trajet, le morne trajet, en automobile vers l'aéroport.

Le monde semblait assombri par son absence. Le vide que je ressentais était si intense qu'il m'arrivait de croire qu'il m'était devenu intolérable. Le prêtre m'avait dit durant les funérailles que tout ce que mon père avait été pour moi m'accompagnerait toujours. Il avait ajouté que, si j'étais bien attentif, je pourrais encore entendre ses conseils chaque fois que j'en ferais la demande. Mais lorsque je suis retourné chez moi dans la grande ville, laissant derrière moi le petit village où il vivait, je n'ai jamais entendu sa voix. Pas une seule fois. Cela me troublait profondément. Lorsque j'étais confronté à changer de travail – chose que j'aurais normalement discuté avec mon père –, j'essayais de nous imaginer, confortablement installés à sa ferme, dans une *discussion sur la vie* comme ma mère se plaisait à l'appeler. Mais il n'y avait que silence et solitude, et attente dans une profonde tristesse.

Même si je travaillais à la ville, nous avions acheté, mon épouse et moi, une vieille maison de ferme sur quelques acres de terre à 65 kilomètres de la ville. Il y avait là un petit étang où je pouvais enseigner la pêche à mon fils et une clairière où nous pouvions dresser notre chien.

Un jour de cet hiver glacial où j'avais perdu mon père, nous décidâmes, mon fils et moi, de faire quelques commissions. Nous étions à la recherche de chaises antiques pour la salle à manger et je désirais faire une petite surprise à mon épouse. Nous avions promis d'être de retour pour le souper. Nous n'avions parcouru que quelques kilomètres lorsque mon fils aperçut des chevreuils occupés à brouter derrière, en bordure du stationnement attenant à l'église du village. J'entrai dans le stationnement, éteignis le moteur de la voiture tout en roulant doucement vers l'endroit où se trouvaient les chevreuils afin de ne pas les effrayer.

Un mâle et trois biches fouillaient dans la neige à la recherche de feuilles et d'herbe. De temps à autre, l'un d'eux levait la tête en scrutant l'horizon du regard. Ils savaient, bien sûr, que nous étions là à les observer. Ils désiraient simplement s'assurer d'être en sécurité.

Nous étions aussi immobiles qu'il est possible de l'être en observant cette scène pendant quelque temps. Et lorsque je pris la main de mon fils en me retournant pour regagner la voiture, j'aperçus un nuage de fumée sous le capot de la voiture. Nous nous arrêtâmes net. *Mon Dieu,* ai-je pensé*, le moteur est en feu. Et me voilà seul avec mon garçon au milieu de nulle part en plein hiver.* Je n'avais pas de téléphone cellulaire.

Je demandai à mon fils de ne pas bouger et m'approchai de la voiture pour mieux analyser la situation. J'ouvris la portière du conducteur et tirai la manette du capot. Puis, je me dirigeai vers l'avant de la voiture. Je soulevai bravement le capot et j'aperçus immédiatement le devant droit du moteur enflammé d'où s'échappait une fumée dense. Je baissai le capot en le laissant entrouvert et je revins vers mon fils qui, debout dans la neige, était excité et ébahi.

«Papa, est-ce que la voiture va exploser?»

«Non. Mais je dois faire quelque chose, et je ne sais pas trop quoi…»

«La neige va éteindre le feu», répliqua-t-il.

«La neige va aussi fendre un cylindre.» *Mais que se passe-t-il?* pensai-je. *Les moteurs de voiture ne s'enflamment pas comme ça au hasard.* Mon esprit s'emballait. Il fallait trouver une maison proche, appeler à l'aide. Il faudrait appeler mon épouse, et l'effrayer selon toute probabilité. Suivraient ensuite les coûts pour le remorquage et peut-être l'achat d'un nouveau moteur. Soudain, et aussi clairement que jamais auparavant, j'entendis la voix de mon père : « PPB ! »

Je suis encore abasourdi du calme immédiat qui s'ensuivit. La course folle de mon esprit cessa à l'instant. Je décidai d'examiner une seconde fois ce qui était en train de brûler. Je saisis une petite branche de chêne et retournai à la voiture, j'ouvris le capot et j'insérai la branche là où le feu semblait se nourrir. Quelques cendres tombèrent sur le sol. Et c'est à ce moment que j'aperçus, bien posée sur le moteur en un parfait petit cercle – une collection de glands.

Je m'esclaffai. « Viens ici, lançai-je à mon fils. Regarde, un écureuil a déposé son petit trésor sur le moteur de la voiture. Le tout s'est enflammé par la chaleur du moteur. »

Je me débarrassai du reste des glands et des tisons, refermai le capot et retournai à l'intérieur de la voiture avec mon fils.

Il était temps de terminer cette randonnée. Mais je savais, pour la première fois depuis la mort de mon père, que je pouvais reprendre les rênes de ma vie. Car, en cette journée glaciale, dans le stationnement de notre église, j'avais découvert que sa voix était encore là, au cœur de moi, et que ses leçons de vie y étaient gravées à jamais.

Walker Meade

Ce que la mort m'a enseigné

Mon téléphone a sonné à 7 heures 20, le 23 juillet 2000. En prenant le récepteur, j'ai été envahie par un sentiment d'inquiétude, comme cela arrive habituellement quand le téléphone sonne à une heure étrange. C'était mon père... un accident était arrivé... c'était Joe... c'était grave... il avait été tué. Joe est mon neveu, le fils de ma sœur. Il a été tué dans un accident de voiture... et c'est ainsi que la journée débuta.

Joe avait eu dix-huit ans le 20 février 2000. Il avait hâte de commencer l'université l'année suivante, le seul de la famille à s'y être inscrit. Il aurait étudié en kinésiologie et, sans aucun doute, il aurait été extraordinaire.

Pendant une année, comme le font beaucoup de gens lorsqu'ils perdent un être cher, j'ai cherché des réponses. Pendant une année, j'ai été triste, ressentant un vide immense dans mon ventre, un véritable puits. Oh! de l'extérieur, parfois, je semblais bien, mais à l'intérieur le puits était toujours là.

Un jour, en mai 2001... j'ai pris conscience que j'étais en voyage. Voici ce que j'ai réalisé.

Lorsque vous perdez quelqu'un que vous aimez, votre âme se déplace vers un autre «lieu». Ce «lieu» est partagé seulement avec d'autres personnes qui ont également perdu un être cher. Vous voyez dans leurs yeux qu'ils sont «là» quand ils vous disent comme ils sont désolés pour votre perte. Ils ont parcouru la «route» que vous vous apprêtez à traverser et connaissent le vide que vous éprouvez. Ce «lieu» est là où votre vie semble s'être arrêtée un moment. Vous êtes encore ici physiquement, pourtant vous sentez que vous n'êtes tout simplement pas «ici», en ce moment.

Pour l'observateur, votre vie se poursuit. Par contre, ceux qui sont passés par «là» savent intérieurement que vous êtes encore en «voyage», et ce, pour un certain temps. Vous croyez qu'il serait temps pour vous de «revenir» maintenant et, pour de courtes périodes, vous le faites. Puis, un objet, un endroit, une chanson vous renvoie sur la «route» de nouveau.

Ceux qui sont déjà passés par «là» peuvent voyager avec vous pour un temps, si vous le leur permettez. Certes, avoir de la compagnie durant un voyage est parfois aidant, mais à d'autres moments vous devez voyager seul.

Cette route a été très souvent fréquentée. Il y a des côtes à gravir, des coins à contourner et des nids-de-poule à franchir. Des crevaisons à réparer et des réservoirs vides à remplir de nouveau. Mais ce qui est le plus bienvenu dans ce voyage sont les tronçons de route rectilignes. Ils vous permettent de rouler facilement et de vous reconstruire afin d'approcher la prochaine colline avec un peu plus de facilité.

Alors que le temps passe, les côtes deviennent plus petites et la route de votre parcours vous conduit de nouveau à la «maison», au début, pour de courtes périodes de temps et, éventuellement, pour plus longtemps. C'est une «maison» différente maintenant, et un «vous» différent également. Vous avez voyagé loin et expérimenté beaucoup de choses. Vos yeux… vos yeux parleront de votre voyage. Vous serez alors prêt à guider quelqu'un d'autre, à le regarder dans les yeux et à lui dire: «Je suis *tellement* désolé pour votre perte.»

La «mort» m'a appris beaucoup de choses. Des choses qui, si elles étaient sur une liste, rempliraient tant de pages que le temps ne permettrait pas de les lire. Pour aujourd'hui, elle m'a appris:

- De serrer un peu plus longtemps et plus fort mes enfants dans mes bras lorsque nous nous enlaçons.
- De serrer un peu plus longtemps et plus fort mes amis dans mes bras lorsque nous nous enlaçons.
- Que je ne suis pas stupide de dire tous les jours à mes enfants que je les aime.
- D'enlacer mes enfants même lorsqu'ils semblent ne pas vouloir l'être (comme en public!).
- De chérir les conversations à l'heure du coucher, les histoires d'amis et de partager les pensées intérieures.
- Que les empreintes de doigts sur le mur sont de la saleté pour les uns, mais des trésors pour les autres.
- Que je n'attendrai pas pour faire les choses, et que je n'attendrai pas pour dire les choses.
- D'être heureux aujourd'hui pendant le voyage.

- Que la vie est courte et qu'elle demande à être expérimentée et célébrée chaque jour que nous sommes ici.
- Que nous avons le choix, lorsqu'un être cher meurt, d'honorer sa mort avec colère ou de l'honorer avec notre vie en la vivant pleinement.
- Plus important encore, la mort m'a appris à vivre.

Barb Kerr

Gardez votre fourchette

Qu'est-ce donc que mourir si ce n'est
s'offrir nu au vent et s'évaporer au soleil?
Et quand la terre aura réclamé votre corps,
vous saurez enfin danser.

Khalil Gibran

Le son de la voix de Martha à l'autre bout du fil a toujours amené un sourire sur le visage du frère Jim. Elle était non seulement une des membres les plus âgées de la communauté, mais également l'une des plus fidèles. Tante Martie, comme tous les enfants l'appelaient, semblait tout simplement déborder de joie, d'espoir et d'amour partout où elle allait.

Cette fois-ci, cependant, ses mots semblaient avoir un ton inhabituel.

«Pasteur, pouvez-vous passer chez moi cet après-midi? J'ai besoin de vous parler.»

«Bien sûr. Je serai là autour de quinze heures. Est-ce que ça vous va?»

Alors qu'ils étaient assis l'un en face de l'autre, dans la tranquillité de son petit salon, Jim apprit la raison de ce qu'il avait pressenti dans la voix de Martha. Elle lui annonca que son médecin venait juste de découvrir une tumeur chez elle qui n'avait pas été détectée précédemment.

«Il m'a dit qu'il me restait probablement six mois à vivre.» Certes, les paroles de Martha étaient graves, pourtant, quelque chose de calme émanait d'elle.

«Je suis tellement désolé…» mais avant que Jim ait terminé, Martha l'interrompit.

«Ne le soyez pas. Le Seigneur a été bon. J'ai vécu une longue vie. Je suis prête à partir. Vous savez cela.»

«Je le sais», murmura Jim avec un signe de tête rassurant.

«Mais je veux par contre vous parler de mes funérailles. J'y ai réfléchi et j'aimerais vous faire part de mes souhaits.»

Les deux ont échangé pendant un long moment. Ils ont parlé des hymnes favoris de Martha, de certains passages des Écritures qui, au cours des années, ont été si importants pour elle, ainsi que des nombreux souvenirs qu'ils ont partagés depuis les cinq années où Jim est assigné à Central Church.

Quand tout sembla avoir été couvert, tante Martie fit une pause, regarda Jim avec une étincelle dans les yeux et ajouta: «Une dernière chose, pasteur. Lorsqu'ils m'enterreront, je veux ma vieille Bible dans une main et une fourchette dans l'autre.»

«Une fourchette?» Jim était sûr d'avoir tout entendu, mais cette demande le prit par surprise. «Pourquoi voulez-vous être enterrée avec une fourchette?»

«J'ai repensé à tous les banquets et les repas offerts par l'église et auxquels j'ai assisté au cours des années, expliqua-t-elle. Je ne peux les compter, mais quelque chose m'est resté dans l'esprit.

«Durant ces rassemblements vraiment agréables, lorsque le repas était presque terminé, un serveur, ou peut-être une serveuse, passait pour ramasser la vaisselle sale. Je peux encore entendre les mots maintenant. Parfois, durant les meilleurs repas, quelqu'un se penchait au-dessus de mon épaule et me chuchotait : *Vous pouvez garder votre fourchette*.

«Et savez-vous ce que cela voulait dire ? Que le dessert s'en venait ! Pas une coupe de Jell-O, du pudding ou même de la crème glacée. Pour cela, vous n'avez pas besoin d'une fourchette. Cela voulait dire les bons desserts, comme un gâteau au chocolat ou une tarte aux cerises ! Lorsqu'on me disait de garder ma fourchette, je savais que le meilleur était à venir !

«C'est exactement ce dont j'aimerais que les gens parlent à mes funérailles. Oh, ils peuvent parler du bon temps que nous avons eu ensemble. Ce serait sympathique.

«Mais lorsqu'ils défileront devant mon cercueil et regarderont ma belle robe bleue, je veux qu'ils se tournent l'un vers l'autre et se demandent : *Pourquoi la fourchette ?*

«Voilà, c'est ce que je voulais vous dire. Je veux que vous leur répondiez que j'ai gardé ma fourchette parce que le meilleur est encore à venir.»

Dr Roger William Thomas

Lilypoisson

Il arrive parfois que les circonstances de la vie nous lacèrent le cœur jusqu'à l'âme. On se demande alors ce qui pourra nous ramener à la joie, à la vie. Pour moi, ce fut le jambon ! C'était un après-midi torride de juillet. Trois semaines auparavant, ma fille, mon petit ange, avait fermé les yeux pour une sieste. Elle s'est réveillée de l'autre côté de la vie.

Je décidai d'aller à la pêche. Pour toutes sortes de bonnes raisons. D'abord, cela me permettrait de sentir une nouvelle fois le doux parfum de la présence de bébé Lily encore imprégnée dans les recoins de la maison, ressentir ce petit poids d'amour dans le creux encore chaud de mon épaule. Et je n'avais pas quitté la maison depuis le jour de son décès, préférant me réfugier chaque soir dans une surconsommation alarmante de rhum brun et de gin-tonic – une technique de gestion du chagrin peu soutenante à long terme. Jane et moi avions planté à sa mémoire un myrte de crêpe rose et des lis jaunes que nous avions choisis pour leur audace à fleurir dans la chaleur de l'été, la saison même où Lily est décédée.

Mais la goutte qui fit déborder le vase, ce fut le jambon. Après les funérailles, les voisins s'étaient mis en tête de m'offrir du jambon, comme si mon bébé pouvait ressusciter seulement pour venir déguster un sandwich. Je savais que mon esprit n'allait pas très bien et que je n'avais même pas encore accepté sa mort. Mais il me semblait que je perdrais la boule si je ne mettais pas une certaine distance entre moi et le jambon.

J'entassai une boîte de leurres dans une sacoche, j'enroulai un fil à pêche de 3 kg dans le moulinet et je remplis une bouteille d'eau du robinet. En sortant, je m'arrêtai, comme j'en avais pris l'habitude depuis la mort de Lily, pour caresser la petite urne bleue bien exposée sur le manteau du foyer. *Mon ange,* murmurai-je. Je restai là plusieurs minutes à sentir la froidure de l'argile, attendant aussi que mes yeux s'assèchent. Puis, je démarrai la voiture pour me rendre à 30 kilomètres au nord de Washington à Seneca Breaks en amont de la rivière Potomac.

Le thermomètre marquait 39 °C et cela n'avait aucune importance. Cela ne me préoccupait pas non plus de penser que les rares carpes à petites bouches non bouillies par cette vague de chaleur record n'auraient pas la force de mordre à l'hameçon. J'étais en fureur contre l'Univers et tout ce qui y vivait maintenant que ma petite fille n'y vivait plus. On annonçait à la radio de violents orages à l'ouest qui semblaient se diriger vers nous. Tant mieux. Si quelqu'un là-haut désirait me servir une petite thérapie par électrochoc, je serais facile à trouver.

Même s'il était 17 heures, le soleil était encore très fort. Le stationnement habituellement bondé aux abords de la rivière s'était vidé à cause de la canicule. Je quittai l'air climatisé de la voiture pour m'engouffrer dans le four à combustion lente de cette fin d'après-midi. Après avoir bu quelques gorgées d'eau, j'ajustai la visière de ma casquette, j'attrapai un bâton sous un bosquet et je marchai vers la rivière.

L'eau avait la température d'un bain et coulait à 60 cm sous son niveau normal. Seneca Breaks, une longue enfilade serpentée de cascades et de fosses rocailleuses, n'était plus que l'ombre d'elle-même. Il n'y avait que moi d'assez fou pour y taquiner le poisson ce jour-là. Au moins, ça ne sentait pas le jambon! Mais le poisson était absent, comme j'aurais dû l'être. Il devint alors évident que si je voulais éviter une crise cardiaque, je devais m'avancer dans cette eau qui montait jusqu'à la taille.

En amont des rapides, la rivière devient le lac Seneca, 5 kilomètres d'une onde paisible sur laquelle flottent des tapis de verdure. Je m'y avançai pour me glisser dans l'eau plus profonde en y balançant un ver artificiel entraîné par un poids à pêche. Le niveau de l'eau m'arrivait maintenant au menton alors que je tenais la canne juste assez haut pour garder le moulinet hors de l'eau. Quelques cyprins apparaissaient à la surface par moments et des libellules venaient se poser sur mon poignet. Une couleuvre d'eau me contourna. Elle était si près que j'aurais pu la toucher.

Mon appât demeurait intact, mais il fallait s'y attendre. Mon lancer du poignet semblait se faire tout seul et j'y prenais plaisir. Immobile comme le héron, je sentais les herbes sous-marines caresser mes jambes. De temps à autre, un petit cyprin venait taquiner mes cuisses avec sa bouche. Cela chatouillait. Bébé poisson. Il m'arrivait de taquiner ma fille en l'appelant Lilypoisson lorsque je changeais sa couche. Je la voyais encore, avec sa mine réjouie, adorant être nue, se tortiller sur la table à langer en me fixant du regard lorsque j'étirais ses bras et ses jambes.

Une nouvelle fois, les larmes montaient. La mélodie d'une chanson de Pete Townsend se mit à tournoyer dans ma tête. Elle parlait d'un feu éteint mais qui brûlait encore. Il brûlerait toujours. Et tout était bien ainsi. Les souvenirs – son odeur, son sourire, son poids encore présent dans le creux de mes bras –, tout cela resterait à jamais. Et je ressentirais toujours ce désir ardent pour ce que je n'aurais jamais.

Je réalisais tout à coup, seul au milieu de cette rivière, que si mon monde était à jamais transformé, le monde lui-même n'avait pas changé d'un iota. La rivière continuait de couler comme toujours. La carcasse d'un poisson-chat flottait, incolore et enflée, suivant son destin dans la chaîne alimentaire. Le soleil se couchait lentement et un vent chaud caressait les eaux.

À dix minutes d'intervalle, je pris deux carpes à petite bouche et un crapet arlequin. Lorsque je ramenais ces poissons à la surface, j'eus l'impression de les sortir d'un univers parallèle pour les amener dans le mien pendant une minute avant de les remettre à l'eau d'où ils venaient. Était-ce cela, mourir? Voyager vers un endroit où on croit ne plus pouvoir respirer, pour découvrir une fois arrivé qu'on le peut encore? J'espérais qu'il en soit ainsi. Et plus j'avance en âge, plus je crois que l'âme existe, une énergie qui se transforme mais qui retient encore quelque chose qu'elle ne perd jamais. L'âme de Lily était-elle en sécurité? Je l'espérais de tout mon cœur.

J'espérais aussi qu'elle sente encore jusqu'à quel point elle était toujours aimée.

J'ignore combien de temps je restai là. Je ne sais même plus si je continuais à pêcher. Je me souviens simplement qu'à un moment, je regardai le ciel et réalisai que la lumière était plus douce. Il était 20 heures passées. Le soleil se couchait enfin derrière les arbres. Et dans la mécanique éternelle des soirées d'été, les oiseaux se mirent à chanter. Un faucon dessinait des cercles à 20 mètres au-dessus des bas-fonds ; un héron bleu battait doucement des ailes face à moi, devant l'astre flamboyant, se posant sur un rocher en position de chasse. Les hirondelles apparaissaient de partout, esprits virevoltants dessinant des arabesques dans le ciel, traînant derrière elles leurs mélodieux gazouillis.

Soudain, je n'étais plus en colère. Tel était le monde. Cette réalité me frappait pour la millionième fois : son mystère insondable, toujours le même et toujours changeant, composé à parts égales de joies et de souffrances. Un monde indifférent aux uns comme aux autres et éternellement en mouvement. La nuit s'installait et j'avais peine à distinguer les roches sous mes pieds. Je marchai prudemment dans l'eau jusqu'à ma voiture, déposai la canne contre un poteau pour un prochain pêcheur. Puis, j'enfilai des vêtements secs et je pris le chemin du retour.

Prenez votre douleur une journée à la fois, me disait un jour quelqu'un. J'ignorais alors ce que cela signifiait. Maintenant, je le sais ! Ce fut une bonne journée. Lily, tu es toujours dans mon cœur.

Bill Heavey

L'espoir est plus fort que le chagrin

La lumière suit toujours les ténèbres.

Anonyme

Dans une pièce tranquille, loin des bruits de la salle d'urgence, je regardais Heath, mon fils âgé de quatre mois. Pendant que les larmes inondaient mon visage, j'embrassais ses joues soyeuses et je caressais ses cheveux blonds, tels un duvet. En sanglotant, j'ai demandé: «Comment vais-je vivre sans toi?»

Ce matin-là, il avait ri, mais maintenant mon cœur était brisé en envisageant toutes ces choses qu'il ne pourrait expérimenter, et tout ce que j'allais manquer. Je ne le verrais jamais faire ses premiers pas ni ne l'entendrais dire: «Je t'aime, maman!» Il n'y aurait pas de premier jour à l'école ni de mariage à attendre avec impatience. Tout ce que je voyais, en regardant vers l'avenir, n'était que tristesse. Je ne croyais pas pouvoir continuer. Mais, le moment venu, j'apprendrais que l'espoir est plus fort que le chagrin...

Onze années plus tôt, avant que Bob et moi soyons mariés, j'ai appris, après un examen de routine, que mes reins ne fonctionnaient pas bien.

«Vous souffrez d'une insuffisance rénale chronique», m'annonça le médecin.

«Vais-je mourir?» ai-je demandé, abasourdie.

Il m'a assurée qu'avec des changements dans mon alimentation, je pourrais vivre une vie normale. Soulagés, Bob et moi avons effectué des plans pour notre avenir. Nous voulions un bébé tout de suite, mais nous avons d'abord épargné de l'argent pour l'achat d'une maison. Une année plus tard, nous avons fait l'acquisition d'une splendide maison dans un charmant quartier. Nous avons alors décidé que le moment était venu d'avoir un bébé.

Mon médecin m'a cependant avertie: «Si vous devenez enceinte, l'effort pourrait empirer votre condition au point qu'une dialyse ou une transplantation soit nécessaire.»

Plus tard, j'ai dit à Bob en sanglotant: «Nous n'aurons pas de famille!»

«Alors, nous adopterons un enfant», répondit-il d'un ton calmant.

L'espoir m'a envahie, et je me suis concentrée à rester en santé. Mais graduellement, juste l'exercice de monter les escaliers m'épuisait, et une nuit de douze heures de sommeil n'étaient pas assez.

«Vos reins se sont affaiblis, expliqua mon médecin. Vous avez besoin d'une transplantation d'un rein.»

Mon nom a été placé sur une liste de donneurs et j'ai prié pour qu'un rein soit trouvé rapidement. Treize mois plus tard, j'ai reçu un appel téléphonique de l'hôpital.

«Nous avons un donneur», annonça le coordinateur de transplantation. Un homme est décédé dans un accident d'auto, et j'ai prié pour que sa famille trouve un certain réconfort en sachant que leur être cher a donné le cadeau de la vie.

La chirurgie fut un succès et je me sentais plus vivante que jamais. *Votre cadeau m'a donné une deuxième chance,* ai-je écrit dans une lettre destinée à la famille du donneur. *Je vous serai toujours reconnaissante.*

Alors que mon corps guérissait, mon rêve d'avoir un bébé se ranimait. J'ai exulté lorsque mon médecin m'a annoncé que c'était désormais sécuritaire pour moi de porter un bébé. Il m'assura que les médicaments antirejet que je prenais ne porteraient pas atteinte au bébé. Mais il y avait des risques: la grossesse pourrait mettre à rude épreuve mon nouveau rein et je pourrais avoir un épisode de rejet, ou donner naissance prématurément.

«Nous devons avoir confiance que tout va bien se passer», m'a dit Bob.

Et c'est arrivé – je suis devenue enceinte un an et demi plus tard. Ma grossesse s'est bien déroulée jusqu'au septième mois. Mes eaux ont crevé à l'hôpital lors d'un examen rénal de routine.

J'étais angoissée. *C'est trop tôt! S'il vous plaît, faites que je ne perde pas mon bébé!* Heath est né deux heures plus tard. Même s'il était minuscule, il était en santé. En le tenant dans mes bras, je pleurais. «Tu es mon bébé-miracle.»

Chaque journée en compagnie de Heath était une raison de réjouissance. Il comblait mon cœur d'amour, que ce soit par la façon dont il tenait mon doigt en buvant sa bouteille ou par ses délicieux gargouillis lorsque je le prenais dans mes bras. Je ne pouvais être plus heureuse. Mais la tragédie a frappé.

Quelques heures seulement après que j'ai embrassé mon bébé et que je suis partie au travail, la police m'a téléphoné pour m'apprendre que Heath, qui était avec une gardienne, avait cessé de respirer.

Paralysée par la peur, je me suis précipitée à l'hôpital, priant pour qu'il aille bien. Il ne l'était pas.

«Je suis désolé, m'a dit le médecin. Heath est décédé du syndrome de mort subite du nourrisson (SMSN).»

Bob et moi étions muets de douleur et en état de choc en faisant nos adieux à notre fils.

J'étais déchirée. *Comment vais-je continuer?*

Avant de quitter l'hôpital, une travailleuse sociale nous a parlé de la possibilité de faire don des organes de Heath. Par un étrange détour du destin, j'ai soudainement compris, d'une façon qui n'aurait pu être possible auparavant, ce que la famille de mon donneur a dû ressentir face à une telle décision. Cette même décision à laquelle Bob et moi faisions maintenant face. *Puis-je être tout aussi altruiste?* me demandai-je.

Mais dans les profondeurs de mon chagrin, j'ai compris qu'en donnant une nouvelle vie à quelqu'un, une partie de mon fils continuerait de vivre.

«Je veux donner les organes de Heath», ai-je annoncé à Bob. Il fut d'accord. Plus tard, les médecins ont jugé que les cornées de Heath étaient la meilleure option pour un don.

Quelqu'un pourra voir grâce à mon fils! ai-je réalisé. Cela m'a apporté un certain réconfort, mais je continuais de pleurer le bébé que nous avions aimé et perdu. Regarder simplement la photo de Heath me déchirait le cœur.

J'ai essayé de poursuivre ma route en me jetant dans le travail. Mais chaque nuit, je priais pour ne pas me réveiller le matin. Et lorsque je me réveillais, je pleurais et pleurais encore.

Bob souffrait, lui aussi, alors nous nous sommes joints à un groupe de soutien pour personnes endeuillées. À la première rencontre, je pleurais doucement pendant que d'autres parents parlaient de leur chagrin. Lorsque ce fut mon tour, j'ai dit en pleurant: «Ça me manque d'être une mère.»

«Je sais ce que vous traversez», a ajouté une femme. Savoir qu'ils me comprenaient aida à alléger ma douleur, et voir comment certains participants avaient guéri me redonna de l'espoir. Bob et moi avons compris, avec le temps, que nous devions poursuivre notre vie. En donnant les cornées de Heath, nous avons donné à une personne une seconde chance. Maintenant, il fallait nous donner le cadeau de la vie – et de l'espoir – de nouveau. Alors nous avons décidé d'avoir un autre enfant.

Lorsque je suis devenue enceinte à nouveau, j'étais transportée de joie, mais aussi très effrayée. Et si nous perdions également ce bébé? Je m'inquiétais. Quand le travail pour l'accouchement a débuté sept semaines plus tôt que prévu, j'ai été ébranlée.

«C'est le même scénario qu'avec Heath», ai-je dit à travers mes sanglots.

Même si elle ne pesait que un kilo et demi, Savannah était en parfaite santé à sa naissance. Mais je ne cessais de m'inquiéter: *Et si elle mourait également du SMSN?*

Par précaution, Savannah est arrivée à la maison avec un moniteur qui nous alerterait si elle cessait de respirer. Mais je la surveillais quand même constamment. Alors que les mois passaient et que Savannah se développait bien, j'ai enfin commencé à relaxer.

Par contre, je savais que je trouverais la paix d'esprit seulement lorsque ma fille serait hors de danger. Ce jour heureux arriva peu de temps avant qu'elle atteigne un an, et elle n'avait plus besoin du moniteur. Sa première fête d'anniversaire fut une célébration de la vie et un retour du bonheur.

Aujourd'hui, Savannah a trois ans et elle nous comble tous de joie. Et lorsque je regarde les photos de Heath, je souris au lieu de sangloter.

Un jour, je parlerai du don d'organes à Savannah et je lui dirai comment ma vie a été bénie grâce à ce programme. Mais, pour le moment, je suis impatiente de voir ma fille grandir. Et en raison du cadeau de vie que j'ai reçu, je ne manquerai pas un seul moment spécial.

Duane Shearer,
tel que raconté à Janice Finnell,
déjà paru dans Woman's World

Le miracle du don de Gary

Avant de quitter la maison pour son travail, mon mari, Gary, me dit toujours: «Je t'aime.» Mais ce jour-là, il a quitté avant mon réveil.

En y repensant, je souhaiterais m'être levée pour l'embrasser et lui dire bonjour avant qu'il parte. Mais comment pouvais-je savoir que je n'aurais pas une autre chance?

Longtemps, des souvenirs comme celui-là ont déchiré mon cœur. Puis, cinq personnes vraiment spéciales m'ont aidée à guérir.

C'est lors d'une rencontre organisée, seize années plus tôt, que nous nous sommes connus, Gary et moi. L'amour a fleuri et, cinq mois plus tard, nous étions mariés. Avec la naissance de nos garçons, Jerrod et Casey, notre bonheur était complet. J'étais enseignante et Gary travaillait comme soudeur. J'adorais notre vie ensemble.

Puis, juste avant midi ce jour-là, le téléphone a sonné.

«Gary est tombé d'une poutre sur le site de construction. Il est à l'urgence», m'a annoncé un de ses compagnons de travail.

Faites qu'il ne soit pas gravement blessé! priai-je. Mais à l'hôpital, le médecin m'annonça que Gary avait une blessure grave à la tête et qu'il avait besoin d'une intervention chirurgicale.

Après la chirurgie, on m'a permis d'aller le voir. «Je suis ici», ai-je dit d'une voix étranglée.

Il m'a serré la main, ce qui m'a remplie d'espoir. Mais au matin, son état s'est dégradé et les médecins ont dû provoquer un coma pour réduire l'enflure dans son cerveau.

J'ai emmené les garçons pour qu'ils le voient. Je leur ai dit: «Papa est branché à une machine pour l'aider à respirer, alors il ne peut pas parler, leur ai-je expliqué. Mais vous pouvez lui parler.»

En entendant les supplications de mes fils: «S'il te plaît, papa, guéris», je n'ai pu retenir mes larmes.

Six jours après l'accident, le médecin m'a annoncé: «Je suis désolé… le cerveau de Gary est mort.»

Alors qu'une vive douleur me traversait, le médecin m'a demandé si je considérais le don d'organes. Gary et moi n'en avions jamais discuté, et j'ai pensé au genre d'homme qu'il était. Toujours prêt à aider, il s'était porté volontaire à l'église et avait coupé du bois pour des voisins durant une tempête de neige. Je savais ce qu'il voudrait faire.

Je me suis mise à pleurer en prenant la main de Gary. «Je vais élever les enfants d'une manière dont tu serais fier. Tu vas me manquer.»

Ce jour-là, Gary a fait le don de la vie à cinq personnes.

Après les funérailles, le désespoir s'est engouffré en moi, mais les garçons avaient besoin de moi. Alors, je me suis forcée à me lever le matin, je suis retournée au travail de façon machinale. À la maison, je cachais mes larmes chaque fois que je mettais la table pour trois personnes au lieu de quatre. Les enfants souffraient également. Jerrod, quinze ans, est devenu silencieux, et Casey, onze ans, a perdu son sourire facile.

La seule minuscule consolation qui restait était l'espoir que Gary ait aidé d'autres personnes. Mais je ne savais pas qui étaient les receveurs et j'avais peur de le découvrir.

Puis, quelques mois plus tard, j'ai reçu une lettre. «Mon nom est Cindy Davis. J'ai reçu un poumon de votre mari. Merci de m'avoir donné la vie... je vous serai toujours reconnaissante.» Je me suis mise à pleurer. *Oh, Gary! Tu as fait quelque chose de formidable!*

Je lui ai répondu que j'étais contente qu'elle se sente mieux. Cindy m'a de nouveau écrit pour me demander des informations à propos de Gary. Comment était-il?

«Gary était un bon père de famille, ai-je répondu, un ami généreux et un mari aimant. Il aimait me faire rire, mais il était aussi romantique.»

Rapidement, nous nous sommes mises à correspondre et je partageais les lettres de Cindy avec les garçons, ce qui adoucissait quelque peu notre souffrance.

Malgré tout, je pleurais chaque jour. Et le jour de ce qui aurait été notre quinzième anniversaire de mariage, j'ai placé des fleurs sur sa tombe. Chaque année, il me donnait un bouquet de roses, mais maintenant, tout ce que j'avais était des souvenirs. *Tu me manques!* lui dis-je, en pleurs. Je suis revenue à la maison, ma douleur presque aussi vive que le jour de son décès.

Tôt ce soir-là, la sonnette a retenti. Il s'agissait d'une livraison de roses. Mais de qui? J'ai lu la carte: *Joyeux anniversaire, de la part de Cindy.* «Comme son geste est merveilleux!» me suis-je écriée.

Plus tard, durant la même soirée, le téléphone a sonné. «Mon nom est Gary Myers, celui qui a reçu le cœur de votre mari», me dit un homme. Il m'expliqua que lui et Cindy étaient en contact. Lorsqu'elle lui a mentionné l'anniversaire de cette journée, il a pensé que c'était le bon moment de me remercier.

Les roses, l'appel téléphonique, la chaleur réconfortante que je ressentais soudain – c'était comme si mon mari était derrière tout cela, m'enveloppant dans une étreinte.

Et lorsque Cindy téléphona quelques jours plus tard et me demanda si nous pouvions nous rencontrer, j'ai tout de suite répondu: «Oui.»

Après trois heures de route, les garçons et moi sommes arrivés au palais de justice où Cindy travaillait – et nous avons été accueillis par une salle remplie de gens. On pouvait lire sur une bannière: «Bienvenue Sandy, Jerrod et Casey».

J'étais touchée. Puis, j'ai remarqué une femme qui se tenait non loin. Quelque part en moi, je savais qui était cette personne. «Cindy!», ai-je crié. Je me suis jetée dans ses bras en pleurant. Puis un homme s'est approché et m'a dit: «Je suis Gary Myers.»

Quelques minutes plus tard, un autre homme a pris la parole: «Je suis Lee Morrison. J'ai reçu le foie de Gary.»

«C'est incroyable!» ai-je dit à Cindy.

«Je voulais que vous voyiez à quel point votre don a été important», répondit-elle en souriant.

Mon cœur s'est gonflé en entendant à quel point les dons de Gary avaient sauvé des vies. Jerrod et Casey rayonnaient en partageant les souvenirs de leur père.

Le week-end suivant, Gary Myers et sa femme nous invitèrent à les visiter, moi et les enfants. Gary amena les garçons pêcher et nous avons appris à connaître sa famille. Et j'ai osé lui demander si je pouvais écouter son cœur… le cœur de mon Gary.

«Bien sûr», a-t-il répondu en hochant la tête.

Une douce chaleur m'a envahie en écoutant le battement régulier qui m'avait remplie d'amour tout au long de nos années de mariage. Et les yeux des garçons se sont mis à briller en entendant battre le cœur de leur père.

Dans les moments de paix qui ont suivi, j'ai réalisé que le don de Gary avait non seulement sauvé la vie des receveurs – mais il sauvait aussi la nôtre.

C'était il y a cinq ans. Depuis, nous avons rencontré les deux hommes qui ont reçu ses reins. Comme les autres, ils sont devenus pour nous des membres de la famille.

Aujourd'hui, Jerrod sert dans les *Marines* et Casey est un athlète au secondaire. Désormais, nous

nous souvenons de Gary avec le sourire plutôt qu'avec des larmes. Je suis remplie de fierté en voyant à quel point mes enfants ont grandi en force et en santé. Je sais que mon époux serait également fier d'eux.

Je serai toujours reconnaissante pour la joie que j'ai dans ma vie – et pour les cinq anges qui m'ont aidée à la retrouver.

Sandy Allinder,
tel que raconté à Dianne Gill,
déjà paru dans Woman's World

NOTE DE L'ÉDITEUR :

Selon l'organisme Québec-Transplant : Il importe de préserver l'anonymat du donneur d'organes et de sa famille ainsi que celui du receveur. Le don d'organes est un geste anonyme. Si toutefois un receveur désire communiquer avec la famille du donneur, ou vice-versa, il pourra s'adresser à Québec-Transplant qui pourra faire parvenir son message au destinataire. Dans tous les cas, Québec-Transplant voit à ce que l'anonymat soit respecté.

Choisir de vivre

Je suis une des étoiles quand tu regarderas le ciel, la nuit, puisque j'habiterai dans l'une d'elles, puisque je rirai dans l'une d'elles, alors ce sera pour toi comme si riaient toutes les étoiles.

Antoine de Saint-Exupéry

En mars 1981, notre fille âgée de neuf ans a reçu un diagnostic de cancer. Notre monde a été détruit. La peur et l'espoir sont devenus des résidents permanents dans notre maison. Mais nous avons compris que le rire et les pleurs peuvent être des partenaires, que la famille et les amis peuvent alléger les fardeaux. Nous avons persévéré et fait ce qui devait être fait, parce qu'il n'y avait pas d'autre choix. Nos enfants avaient besoin de nous.

Julie a toujours été une enfant qui réfléchissait avant et qui posait beaucoup de questions après. Elle était toujours souriante, déterminée, charmante et autoritaire. Sa sœur était sa confidente et son alliée, et elle adorait son petit frère. Julie parlait constamment et ne pouvait jamais garder un secret.

Nous, à notre tour, n'avons pas tenu son cancer secret. Elle savait tout. Au cours de ses traitements, elle nous a assurés que la tumeur était partie et que nous ne devrions pas nous inquiéter. Avec d'autres patients du Children's Hospital, elle a attaché son nom et son adresse à des ballons d'hélium. À travers une fenêtre ouverte, elle a regardé ses ballons remplis de souhaits s'envoler dans le ciel. Un jour, une carte avec un message lui a été retournée par la poste. Elle aimait s'imaginer voyager avec ce ballon, naviguer sur le vent et traverser le lac Michigan et, ensuite, qu'on la retrouve dans les hautes branches d'un arbre.

Julie baignait dans l'attention que lui donnait toute la ville. Les amis, et des étrangers qui sont devenus des amis, s'étaient ralliés autour de notre fille aînée. Ils ont offert des coups de main et organisé de nombreuses collectes de fonds. Nous étions bouleversés par leur gentillesse.

Au cours de l'été, Julie a participé au camp pour enfants atteints de cancer *One Step at a Time*. Elle est revenue à la maison en racontant des histoires, en chantant des chansons et en faisant des blagues. Ce camp s'est avéré un endroit exceptionnel pour elle.

À la fin du mois d'octobre, elle et son père se sont envolés vers la Floride sur Dream Flite, un avion rempli d'enfants atteints de cancer ou de leucémie. C'était magique. Puis, soudainement et sans avertissement, sa vision a commencé à diminuer. Les médecins n'ont rien pu faire contre cette dégradation et, au mois de décembre, cet effet secondaire inattendu de la radiothérapie a endommagé de façon permanente ses nerfs optiques. Julie était aveugle. Elle pleurait et rageait contre la noirceur, nous disant que c'était tellement plus difficile que d'avoir le cancer, parce qu'elle devait y penser tout le temps.

Auparavant, elle était une lectrice vorace, maintenant, elle écoutait des cassettes et apprenait lentement le braille. Âgée de dix ans, elle en voulait aux adultes autour d'elle et son indépendance lui manquait terriblement. Désireuse de voler de nouveau de ses propres ailes, un jour, elle prit sa canne blanche et tapa son chemin jusqu'à la rue, puis vers la maison de sa meilleure amie. Elle a poursuivi ses activités avec la troupe féminine de scoutisme, montait son vélo tandem, chantait dans la chorale de l'école et retournait au camp durant l'été.

Notre fille au franc-parler a assisté à plusieurs rencontres d'un groupe d'adultes atteints de cancer. Elle a répondu à leurs questions, les a fait rire et les a forcés à faire une introspection. Nous avons reçu des lettres de quelques-unes de ces personnes, inspirées par une enfant qui refusait d'abandonner et qui chérissait le dicton: «Lorsqu'il pleut, cherchez l'arc-en-ciel.»

Julie a passé Noël et son onzième anniversaire à l'hôpital, éprouvant de nouveau des problèmes reliés à ses traitements. Les convulsions ont commencé, puis un coma a suivi. Des tests ont démontré l'atrophie de son cerveau. Par une froide soirée de janvier, j'ai exprimé l'indicible. J'ai dit à notre enfant bien-aimée, qui avait une incroyable maturité pour son âge, que nous comprenions que son corps n'avait plus la santé de la garder ici, parmi nous. Je lui ai parlé des merveilles du paradis et je lui ai dit que c'était correct de lâcher prise et de partir. Elle pouvait être assurée qu'elle nous manquerait et que nous l'aimerions à tout jamais. En pleurant, j'ai ajouté que chaque fois qu'il y aurait un arc-en-ciel, elle devrait s'asseoir dessus, glisser jusqu'en bas et nous envoyer la main.

Le matin suivant, ses deux années de combat se sont terminées. Notre Julie était partie. Nous étions anéantis. Une autopsie démontra qu'il n'y avait aucune tumeur. Elle avait raison en disant qu'elle vaincrait le cancer. La cause de sa mort était reliée aux effets secondaires à retardement des radiations.

Plusieurs événements sont survenus depuis la mort de Julie, nous laissant croire qu'elle continue d'être avec nous. Nous voyons des arcs-en-ciel partout ou des parties d'arcs-en-ciel. Nous les voyons durant les journées nuageuses, les journées pluvieuses, les journées ensoleillées, à l'intérieur et à l'extérieur. Nous agitons toujours la main.

Lori, la sœur de Julie, a envoyé un ballon dans le ciel, murmurant en silence qu'elle avait besoin d'un signe confirmant que Julie allait bien. Un mois plus tard, je lui ai remis une carte arrivée par la poste. Un large sourire s'est affiché sur son visage, accompagné de larmes. Elle m'expliqua que cette carte retournée était le signe tant attendu. J'aime m'imaginer naviguant avec ce ballon pour lui rendre une visite au ciel.

Nous avons constaté que Julie influence les autres de manières qui nous font savoir qu'elle nous aime toujours. Neuf mois après son décès, en magasinant, j'ai découvert une décoration de Noël de 1983. C'était un ange, assis sur un arc-en-ciel, agitant la main. Je suis certaine qu'une personne a pensé qu'il s'agissait de son idée propre, mais nous savions mieux.

La même année, je suis entrée en contact avec un artiste et je lui ai demandé s'il pouvait peindre un portrait de Julie. J'ignorais ses tarifs habituels, mais il m'expliqua avec gentillesse qu'il chargeait des milliers de dollars pour peindre des portraits. Il a toutefois demandé que je lui laisse plusieurs photos de Julie ainsi que son album de coupures afin qu'il puisse faire un croquis au crayon. Il ajouta qu'il était très occupé et qu'il ne serait pas en mesure de faire le croquis avant un certain temps. Trois mois plus tard, l'artiste m'a téléphoné pour s'excuser de ne pas avoir fait le croquis. Il a poursuivi: «Laissez-moi vous expliquer. J'ai essayé de faire le croquis au crayon. Mais ça ne ressemblait pas à un croquis. Julie demandait à être peinte. Cela ne m'est jamais arrivé avant. C'était comme si quelqu'un d'autre peignait à travers moi. J'ai l'impression de la connaître; j'étais rempli de bonheur chaque fois que je travaillais sur le portrait. J'ai cessé d'essayer de comprendre ce qui s'est passé.»

Lorsque mon mari et moi sommes entrés dans son studio, nous sommes restés figés en regardant la ressemblance frappante entre le portrait réalisé par l'artiste et notre fille. Des larmes se sont mises à couler sur nos joues. Nous sommes parvenus à expliquer à l'artiste inquiet qu'il n'y avait rien d'inadéquat. La peinture était très belle. Nos souvenirs de Julie, durant les deux dernières années, ne se rapportaient qu'à la maladie. Ce portrait était celui d'une jeune fille en santé et heureuse. L'artiste avait saisi son pinceau et trouvé l'âme de notre fille. Il nous a donné la paix.

Le deuil est une période longue et difficile. Il nous consume, et on a l'impression que l'angoisse et la douleur ne finiront jamais d'être dans notre vie.

Cet immense chagrin a entraîné un tel vide, et la perte de notre fille nous a semblé intolérable. C'était tellement anormal qu'un enfant puisse mourir. Nous ne cessions de nous demander «pourquoi», mais nous avons finalement compris que certaines questions restent sans réponse. Durant cette période de souffrance est venu le moment où nous avons réalisé que nous avions à faire un choix. Nous avions le choix de rester des gens amers ou de devenir de meilleures personnes. En souvenir de notre fille, nous avons choisi d'être de meilleures personnes. Nous ne voulions pas que Julie soit oubliée. Elle a enrichi notre vie et elle fait toujours partie de nous. Son existence même a fait que nous sommes différents de ce que nous aurions été. Nous aurions à devenir son héritage.

En 1985, notre famille est retournée au camp pour enfants atteints de cancer. Julie avait raison – c'était magnifique. Nous continuons d'y être volontaires tous les mois de juillet. Je vois des enfants nager, créer des chefs-d'œuvre artisanaux, gravir des collines, chanter autour de feux de camp, et mon cœur se réchauffe. J'entends le rire de ma fille dans celui d'autres enfants. Ça me remplit de joie de voir plusieurs de ces campeurs grandir et devenir des conseillers. D'autres grandissent dans un lieu qui s'étend au-delà de ma vision.

Julie continue de toucher la vie des autres à travers tous ceux et celles qui ont partagé un court moment avec elle sur terre. Elle voyage avec nous vers demain.

Les gens peuvent mourir, mais l'amour n'a pas de fin.

Chris Thiry

THE FAMILY CIRCUS®, par Bil Keane

« ... et si vous trouvez un ballon violet là-haut, c'est le mien. »

La Boîte de maman

Tard un soir de décembre, baignée par la douce lumière de l'arbre de Noël, j'étais allongée sur le canapé, les yeux fermés, laissant mes souvenirs tourbillonner dans mon esprit. Revenant au présent, j'ai ouvert les yeux et immédiatement mon regard se porta sur un beau petit village de Noël miniature qui longeait le manteau de la cheminée. En fait, c'était seulement la moitié d'un village, puisque mon père l'avait partagé entre ma sœur et moi, vingt-cinq années plus tôt, après la mort de notre mère.

De petites lumières scintillantes brillaient, derrière les fenêtres de cellophane rouge, dans les petites maisons en carton alignées sur les étagères de mes enfants dans la salle de séjour.

Sans avertissement, les mots ont soudain culbuté comme un verre de vin âgé se renversant – des mots cachés depuis longtemps dans mon cœur, attendant de faire surface: «Maman, tu me manques terriblement.»

Un océan de larmes reflua et se déversa pendant près d'une heure, puis l'idée a émergé. Si je me sentais ainsi, sûrement que mon frère et ma sœur se sentaient ainsi également. Vingt-cinq années, cinq raisons, une boîte – c'est ce que j'allais faire – j'allais capturer l'essence de ma mère et la mettre dans une boîte – une Boîte de maman – une pour chacun de ses enfants.

J'ai commencé à penser à ma mère en ce qui a trait au parfum qui la représentait le mieux, au style qui la décrirait le mieux, au son qui ferait le mieux écho au mot «Mère», et ainsi de suite.

Entraînant dans ma quête ma fille de dix ans, Shiloah, nous avons tenté d'assembler les pièces se rapportant à une grand-mère qu'elle n'avait jamais connue.

En premier, nous avons trouvé la boîte dans laquelle se retrouveraient tous les souvenirs. Il y avait une telle abondance de choix. Des fleurs de toutes sortes jamais trouvées dans un jardin, certaines avec des étoiles, des lunes, d'anciennes images victoriennes, des cœurs, et d'autres avec des thèmes de Noël, puis nous les avons vues – avec des anges! En effet, pour une mère qui ne vivait plus sur Terre, c'était parfait. Mais il n'y en avait que deux. Une pour ma sœur, une pour mon frère – j'en ferai une pour moi à un autre moment.

Étrangement, toute la journée se déroula ainsi. Nous ne trouvions que deux spécimens de ce dont nous avions besoin, pas plus, pas moins. Avec une excitation grandissante, nous avons rapporté nos trésors à la maison et les avons enveloppés avec beaucoup d'amour.

Une rivière de souvenirs se fraya un chemin vers une forêt très boisée de mots, peignant le portrait d'un millier d'hier, se développant droits et hauts comme de jeunes plants dans une forêt ancienne. Scellés dans une simple enveloppe, ils attendaient leur destinataire.

Le bon moment s'est présenté pour offrir la boîte à mon frère. Alors que ses yeux fouillaient le contenu de la boîte, cet homme de trente-sept ans a fondu en larmes. Mon père se tenait à ses côtés et je n'oublierai jamais l'expression de son regard perdu dans le lointain. Les années s'entremêlaient les unes dans les autres à chaque article que mon frère retirait de la Boîte de maman.

Un sachet de gruau représentant une femme ayant grandi dans le Sud et qui en servait à ses enfants dans l'Oregon, sa musique préférée de Johnny Mathis, une boucle de Noël argentée brillante qui rappelait les robes de soirée qu'elle portait, une seule rose rouge en satin représentant les douzaines que mon père lui avait offertes. J'ai inclus la fameuse histoire de la fois où, lorsque mes parents se fréquentaient, mon père lui apporta des roses à longues tiges qui étaient aussi hautes que lui ! Elle adorait les roses rouges. Finalement, une bouteille de son parfum préféré, Emeraude. J'étais étonnée que ce parfum existe toujours, mais il était là, le vert familier. Certes, la forme de la bouteille a changé avec les années, mais lorsque j'ai aspergé un peu de parfum vaporeux dans les airs, c'était sans contredit le parfum de notre mère.

Ce voyage du cœur, en compagnie de ma fille, nous a réunies en esprit. Nous étions toutes les deux liées par les liens de l'amour, provenant de la vie d'une femme partie depuis longtemps mais restant solidement cousue dans la courtepointe de la mémoire de nos esprits. Nous avons vu le fil continu de la vie se refléter dans les yeux de chacune de nous.

Puis, ma fille m'a tendu une boîte. À l'intérieur se trouvait l'essence de ma mère – le parfum d'une autre génération pour nous rappeler son héritage. J'ai ouvert la bouteille de parfum, j'en ai vaporisé un peu, et maman était de nouveau parmi nous.

Linda Webb Gustafson

Le deuil est une chose des plus étranges ; nous sommes tellement impuissants devant cette douleur. C'est comme une fenêtre qui s'ouvrait simplement de son propre chef. La pièce se refroidit, et nous ne pouvons rien faire de plus, sinon frissonner. Mais chaque fois, elle s'ouvre un peu moins, et encore un peu moins ; et un jour nous nous demandons ce qu'il en est advenu.

Arthur Golden

Évolution

Au début, je marchais en me tordant constamment les mains comme Lady Macbeth. Maintenant je les tords encore, mais seulement lors de l'anniversaire des heures qui ont mené à sa mort, et en entendant des nouvelles tragiques.

Au début, la vidéo des événements des jours précédant et suivant sa mort rejouait sans cesse dans ma tête. J'étais incapable de l'arrêter. Maintenant je peux l'arrêter fréquemment en pensant consciemment à d'autres choses.

Au début, je sentais que ma peau était trop serrée pour mon corps. Compulsivement, je devais bouger pour le faire s'ajuster. Je marchais de longues périodes de temps afin de me sentir bien. Maintenant je marche simplement pour faire de l'exercice.

Au début, tous les jeudis, à l'approche de 12 h 25, je comptais anxieusement les minutes. Maintenant les jeudis sont simplement des journées ordinaires.

Au début, le temps se comptait en journées et en semaines. Maintenant il se compte en années.

Au début, tout ce qui lui appartenait ou se rapportait à elle était sacré. Lorsque les boucles d'oreilles qu'elle m'avait offertes tombaient, je devenais affolée. Maintenant si je les perdais, je serais très triste mais je pourrais y faire face. Maintenant je donne plusieurs choses qui lui ont appartenu.

Au début, il était difficile de parler de quoi que ce soit d'autre que de sa mort ou de penser à autre chose. Maintenant j'ai réinvesti dans la vie, j'ai d'autres sujets de conversation et je trouve en fait la vie plus agréable.

Au début, je pleurais en voyant ses aliments préférés dans les marchés d'alimentation. Maintenant je ressens un serrement de cœur, mais je ne verse plus de larmes.

Au début, les paroles des chansons «Wind Beneath My Wings» et «Somewhere Out There» faisaient douloureusement écho dans ma tête pendant des mois. Maintenant lorsque j'entends ces chansons, j'éprouve de la tristesse, mais elle est plus douce et elle se termine rapidement.

Au début, j'étais certaine d'être folle. Maintenant bien que je questionne encore ma santé mentale à l'occasion, j'accepte le fait que mes pensées et mes sentiments sont normaux pour des parents endeuillés.

Au début, il y avait beaucoup de choses que je ne voulais pas faire. Maintenant je fais quelques-unes d'entre elles, mais je continue d'en éviter d'autres. Peut-être que dans mon évolution continue, je vais décider que ces choses sont également possibles.

Si vous en êtes au début, prenez courage. Il y a une évolution.

Stephanie Hesse

À propos des auteurs

Jack Canfield

Jack Canfield est un des chefs de file en Amérique dans le développement du potentiel humain et de l'efficacité personnelle. Il est à la fois un conférencier dynamique et divertissant ainsi qu'un formateur hautement recherché. Jack possède un talent exceptionnel pour informer et inspirer des auditoires vers une meilleure estime de soi et un rendement personnel optimal. Il a publié récemment *Le succès selon Jack: Les principes du succès pour vous rendre là où vous souhaiteriez être!*

Jack Canfield est le créateur et le narrateur de plusieurs programmes à succès sur audiocassettes ou vidéocassettes, incluant: *Self-Esteem and Peak Performance, How to Build High Self-Esteem, Self-Esteem in the Classroom* et *Chicken Soup for the Soul – Live.* Il fait des apparitions régulières à la télévision, à des émissions comme *Good Morning America, 20/20* et *NBC Nightly News.* Jack est coauteur de nombreux livres, dont la série *Bouillon de poulet pour l'âme*, *Osez gagner* et *Le pouvoir d'Aladin* (tous en collaboration avec Mark Victor Hansen), *100 Ways to Build Self-Concept in the Classroom* (avec Harold C. Wells), *Heart at Work* (avec Jacqueline Miller) et *La force du focus* (avec Les Hewitt et Mark Victor Hansen).

Jack est invité régulièrement à donner des conférences dans des associations professionnelles, des commissions scolaires, des agences gouvernementales, des églises, des hôpitaux, des entreprises commerciales et des sociétés. Parmi ses nombreux clients, notons: American Dental Association, American Management Association, AT&T, Campbell's Soup, Clairol, Domino's Pizza, GE, Hartford Insurance, ITT, Johnson & Johnson, the Million Dollar Roundtable, NCR, New England Telephone, Re/Max, Scott Paper, TRW et Virgin Records. Jack compte aussi parmi le corps enseignant de « Income Builders International », une école de formation pour entrepreneurs.

Jack anime un séminaire annuel de huit jours qui s'adresse à toutes les personnes qui œuvrent dans les domaines de l'estime de soi et du rendement optimal. Ce programme attire des éducateurs, des conseillers, des formateurs en éducation des enfants ainsi qu'en entreprise, des conférenciers professionnels, des ministres du culte et d'autres gens désirant améliorer leurs compétences d'orateurs et d'animateurs de séminaires.

www.jackcanfield.com

Mark Victor Hansen

Mark Victor Hansen est un conférencier professionnel qui, au cours des vingt dernières années, s'est adressé à plus de deux millions de personnes dans trente-trois pays. Il a effectué plus de 4000 présentations portant sur l'excellence et les stratégies dans le domaine de la vente, le pouvoir et le développement personnels ainsi que sur les différents moyens de tripler ses revenus tout en doublant ses temps libres.

Mark a consacré sa vie à sa mission de produire des changements profonds et positifs dans la vie des gens. Tout au long de sa carrière, non seulement a-t-il su inciter des centaines de milliers de personnes à se bâtir un avenir meilleur et à donner un sens à leur vie, mais il les a aidés à vendre des milliards de dollars de produits et services.

Mark est un auteur prolifique et a écrit de nombreux livres, dont *Future Diary*, *How to Achieve Total Prosperity* et *The Miracle of Tithing*. Il est coauteur de la série

Bouillon de poulet pour l'âme, des volumes *Osez gagner* et *Le pouvoir d'Aladin* (en collaboration avec Jack Canfield), ainsi que du livre *Devenir maître motivateur* (avec Joe Batten).

Mark a également réalisé une collection complète de programmes sur audiocassettes et vidéocassettes portant sur la responsabilisation de soi qui a permis à ses auditeurs de découvrir et d'utiliser toutes leurs ressources innées dans leur vie personnelle et professionnelle. Les messages qu'il transmet ont fait de lui une personnalité célèbre de la radio et de la télévision. Il a fait plusieurs apparitions télévisées aux réseaux ABC, NBC, CBS, CNN, PBS et HBO.

Mark a également fait la une de nombreux magazines dont *Success, Entrepreneur* et *Changes*.

Il s'agit d'un grand homme avec un cœur et un esprit tout aussi grand – une inspiration pour tous ceux et celles qui désirent s'améliorer.

www.markvictorhansen.com

Autorisations

Nous aimerions remercier les personnes et les éditeurs suivants qui nous ont autorisés à reproduire le matériel cité ci-dessous. (Note : les histoires dont l'auteur est anonyme, qui sont du domaine public ou qui ont été écrites par Jack Canfield, Mark Victor Hansen, ne sont pas incluses dans cette liste.)

Un cadeau éternel. Reproduit avec l'autorisation de Gloria Givens. ©2001 Gloria Givens.

Une rose pour ma mère. Reproduit avec l'autorisation de Maria E. Sears. ©2000 Maria E. Sears.

Le dernier rire de maman. Reproduit avec l'autorisation de Robin Lee Shope. ©1999 Robin Lee Shope.

Je vais bien, maman et papa. Reproduit avec l'autorisation de Lark Whittemore Ricklefs. ©1997 Lark Whittemore Ricklefs.

C'était le destin. Reproduit avec l'autorisation de Cindy Midgette. ©1999 Cindy Midgette.

Un cadeau surprise pour maman. Reproduit avec l'autorisation de Sarah A. Rivers. ©1997 Sarah A. Rivers.

Le cadeau de la foi. Reproduit avec l'autorisation de Kelly E. Kyburz. ©2002 Kelly E. Kyburz.

Je te ferai un arc-en-ciel. Reproduit avec l'autorisation de Linda Bremner. ©2000 Linda Bremner.

Sept blancs, quatre rouges et deux bleus. Reproduit avec l'autorisation de Robert P. Curry. ©1999 Robert P. Curry.

L'héritage de vie de Joseph. Reproduit avec l'autorisation de Kathie Kroot et Bill Holton. © 2000 Kathie Kroot et Bill Holton. Déjà paru dans le magazine *Woman's World*, numéro d'octobre 2000.

Pour qu'on se souvienne de moi. Reproduit avec l'autorisation d'Andrew W. Test. © Robert N. Test.

La boîte de crayons. Reproduit avec l'autorisation de Doris Sanford. ©1997 Doris Sanford.

Ces inoubliables mardis après-midi. Anciennement titré «Les mardis après-midi chez Lucy», par Patricia Lorenz est reproduit avec l'autorisation du magazine *Guideposts*. Droits d'auteurs ©1985 par *Guideposts*, Carmel, New York 10512. Tous droits réservés.

Quelqu'un d'aussi jeune. Reproduit avec l'autorisation de Diane C. Nicholson. © 2000 Diane C. Nicholson.

Être là. Reproduit avec l'autorisation de Debi L. Pettigrew. ©1987 Debi L. Pettigrew.

Une nouvelle force. Reproduit avec l'autorisation de Kara L. Dutchover. ©1997 Kara L. Dutchover.

La sagesse d'un enfant. Reproduit avec l'autorisation de Kevin D. Catton. © 2000 Kevin D. Catton.

Une lumière dans la nuit. Reproduit avec l'autorisation de Nina A. Henry. © 1997 Nina A. Henry.

Amour et eau. Reproduit avec l'autorisation de Emily Sue Harvey. © 2000 Emily Sue Harvey.

Garrit. Reproduit avec l'autorisation de Molly Bruce Jacobs. © 2002 Molly Bruce Jacobs.

Le jardin d'Ashley. Reproduit avec l'autorisation de Candy Chand. © 2002 Candy Chand. Extrait du livre *Ashley*'s *Garden*.

Deux réponses à une prière. Reproduit avec l'autorisation de Steve Wilson, C.S.P. et Allen Klein, M.A., C.S.P. ©1998 Allen Klein, M.A., C.S.P. Extrait de *The Courage to Laugh*. ©1998 Allen Klein.

Mon chagrin est comme une rivière. Par Cynthia G. Kelly. Reproduit avec l'autorisation de *Bereavement Publishing*. Déjà paru dans le magazine *Bereavement*, janvier 1988.

L'héritage d'amour. Reproduit avec l'autorisation de Ed et Sandra Kervin. © 2000 Ed et Sandra Kervin.

Les funérailles de Chris. Reproduit avec l'autorisation de Scott Michael Mastley. ©1999 Scott Michael Mastley.

Le temps du deuil, un temps pour l'amour. Reproduit avec l'autorisation de Barbara Bergen. ©1997 Barbara Bergen. Déjà paru dans le magazine *Unity*, numéro d'octobre 1997.

La lettre. Reproduit avec l'autorisation de Jim Schneegold. ©2001 Jim Schneegold.

Un Noël à la caserne de pompiers. Reproduit avec l'autorisation d'Aaron Scott Espy. ©1997 Aaron Scott Espy.

Le chagrin en aide d'autres. Reproduit avec l'autorisation de Bill Holton et Linda Maurer. ©1998 Bill Holton et Linda Maurer.

Laisse le corps vivre sa peine. Reproduit avec l'autorisation de Kenneth M. Druck. ©2001 Kenneth M. Druck.

La fête des Pères. Reproduit avec l'autorisation de Ruth Hancock. ©2001 Ruth Hancock.

L'histoire de la pièce de cinq cents. Reproduit avec l'autorisation de Hana Haatainen Caye. ©2000 Hana Haatainen Caye.

La vie secrète de Bubba. Reproduit avec l'autorisation de Natalie «Paige» Kelly-Lunceford. ©1997 Natalie «Paige» Kelly-Lunceford.

Mon fils, un gentil géant, meurt. Reproduit avec l'autorisation de Michael Gartner. ©1994 Michael Gartner.

Poursuivre la route et *La voix de mon père*. Reproduits avec l'autorisation de Walker Meade. ©2002 Walker Meade.

Le match inaugural au paradis. Reproduit avec l'autorisation de Michael L. Bergen. ©2000 Michael L. Bergen. Déjà paru dans *Atlantic City Press,* le 3 avril 2000.

Jamais doué pour les au revoir. Reproduit avec l'autorisation de Amanda Dodson. ©2000 Amanda Dodson.

Des traînées de nuages de gloire. Reproduit avec l'autorisation de Paul D. Wood. ©2002 Paul D. Wood.

Le séjour à la plage et *Cerises enrobées de chocolat*. Reproduits avec l'autorisation de Dawn Holt. ©2000, 1998 Dawn Holt.

Je choisis encore «maman». Reproduit avec l'autorisation de Connie Sturm Cameron. ©1999 Connie Sturm Cameron.

Ballerines. Reproduit avec l'autorisation de Bill Holton et Ferne Kirshenbaum. ©1977 Bill Holton.

Le vitrail de maman. Reproduit avec l'autorisation de Katherine Von Ahnen. ©1995 Katherine Von Ahnen.

Je ne veux pas marcher sans toi. Reproduit avec l'autorisation de Joyce A. Harvey. ©1999 Joyce A. Harvey.

Je vous souhaite assez. Reproduit avec l'autorisation de Bob Perks. ©2001 Bob Perks.

L'éveil. Reproduit avec l'autorisation de Monica Kiernan. ©2001 Monica Kiernan.

Tu es toujours ici. Reproduit avec l'autorisation de Richard Lepinsky. ©1996 Richard Lepinsky.

Se souvenir avec courage. Reproduit avec l'autorisation de Janelle M. Breese Biagioni. ©2000 Janelle M. Breese Biagioni.

Ce que la mort m'a enseigné. Reproduit avec l'autorisation de Barbara Kerr. ©2001 Barbara Kerr.

Gardez votre fourchette. Reproduit avec l'autorisation du Dr Roger William Thomas. ©1994 Dr Roger William Thomas.

Lilypoisson. Reproduit avec l'autorisation de Bill Heavy. ©2000 Bill Heavy. Déjà paru dans le magazine *Field & Stream*, numéro de juillet 2000, p. 72-73.

L'espoir est plus fort que le chagrin. Reproduit avec l'autorisation de Duane Shearer et Janice Finnell. ©1999 Janice Finnell. Déjà paru dans le magazine *Woman's World*, numéro du 16 février 1999, p. 35.

Le miracle du don de Gary. Reproduit avec l'autorisation de Sandy Allinder et Dianne Gill. ©2000 Sandy Allinder et Dianne Gill. Déjà paru dans le magazine *Woman's World*, numéro du 7 mars 2000, p. 32.

Choisir de vivre. Reproduit avec l'autorisation de Christine Thiry. ©1998 Christine Thiry.

La Boîte de maman. Reproduit avec l'autorisation de Linda Webb Gustafson. ©1999 Linda Webb Gustafson.

Évolution. Reproduit avec l'autorisation de Stephanie Hesse. ©2000 Stephanie Hesse.

SÉRIE
BOUILLON DE POULET POUR L'ÂME

1er bol *
2e bol
3e bol
4e bol
5e bol
Ados I * et Ados II *
Ados – Journal
Ados dans les moments difficiles *
Aînés
Amateurs de sport
Amérique
Ami des bêtes *
Ami des chats *
Ami des chiens *
Canadienne
Célibataires *
Chrétiens
Concentré **
Couple *
Cuisine (Livre de)
Deuil *
Enfant *
Femme
Femme II *
Future Maman *
Golfeur *
Golfeur, la 2e ronde
Grand-maman
Grands-parents *
Infirmières *
Mère I *et Mère II *
Mères et filles *
Noël
Père *
Préados *
Professeurs *
Québécois *
Romantique *
Soeurs *
Survivant (du cancer)
Tasse **
Travail *
Vainqueurs du cancer **

** Disponible également en format de poche*

*** Disponible en format de poche seulement*